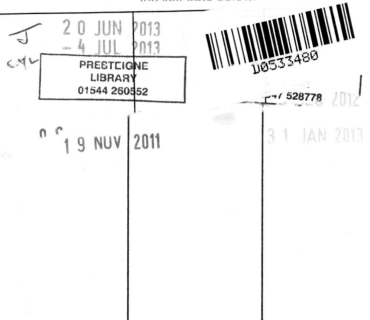

Y Gwledydd Bychain

BETHAN GWANAS

ISBN: 9781847710369 (1847710360)

Mae'r cynllun Stori Sydyn yn fenter ar y cyd rhwng Sgiliau
Sylfaenol Cymru a Chyngor Llyfrau Cymru. Ariennir y
llyfrau gan Sgiliau Sylfaenol Cymru fel rhan o Strategaeth
Genedlaethol Sgiliau Sylfaenol Cymru ar ran Llywodraeth
Cynulliad Cymru.

Argaffwyd a chyhoeddwyd gan
Y Lolfa, Talybont, Ceredigion SY24 5AP.
gwefan www.ylolfa.com
e-bost ylolfa@ylolfa.com
ffôn 01970 832 304
ffacs 832782

CYFLWYNIAD

Ro'n i ar ganol ffilmio trydedd gyfres o *Ar y Lein* pan ges i alwad ffôn gan un o gynhyrchwyr Radio Cymru, Rhisiart Arwel. Roedd o'n arfer chwarae'r gitâr glasurol yn broffesiynol, ac ar ôl byw ym Mhatagonia am gyfnod, mae'n siarad Sbaeneg yn rhugl. Mae o hefyd yn frawd i'r AC Ieuan Wyn Jones... Wyddwn i rioed! Ta waeth, cwestiwn oedd gan Rhisiart Arwel. Oedd gen i ddiddordeb mewn cyflwyno cyfres radio am wledydd bychain? Gwledydd tua'r un maint â Chymru oedd ganddo mewn golwg, a chymharu sefyllfa'r iaith ac ati. Dwi ddim yn siŵr pam meddyliodd Rhisiart amdana i. Oherwydd *Ar y Lein* o bosib. Neu oherwydd y colofnau dwi'n eu sgwennu bob wythnos yn yr *Herald Cymraeg*. Mae'r rheiny'n dangos yn eitha amlwg, dwi'n meddwl, bod gen i ddiddordeb mewn ieithoedd. Beth bynnag oedd y rheswm, mi ges i fy nhemtio i ddeud, 'Ia, iawn!' yn syth.

Ond am fy mod i ar ganol ffilmio *Ar y Lein*, ac yn gwibio'n ôl ac ymlaen i'r cyhydedd o hyd, do'n i ddim yn siŵr fyddwn i'n gallu gwneud y gwaith. Gormod o waith, dim digon o amser, straen, poeni ac yn y blaen. Ond mi wnes i ofyn i Dad beth ddylwn i ei wneud.

'Dim ond pwffs sy'n cwyno bod gynnyn nhw ormod o waith,' meddai hwnnw. Doedd o ddim yn bod yn homoffobig. 'Pwff' iddo fo ydy rhywun sy'n wan a heb ddigon o egni ac yn sâl o hyd. Neu rywun sydd ddim yn wyrcaholic fel fo.

Wel, dw i'n hoffi sialens. Dw i'n ferch sy'n hoffi plesio'i thad (pa ferch sydd ddim?), felly mi wnes i gytuno. A dwi'n falch iawn 'mod i wedi gwneud. Diolch, Dad! Roedd y teithiau'n ofnadwy o ddifyr *a* bydda i'n cofio am y bobl wnaethon ni gyfarfod am byth.

Doedd 'na ddim digon o bres nac amser i fynd i bob gwlad fechan yn y byd. A deud y gwir, doedd 'na ddim digon o bres i ymweld â chwarter ohonyn nhw. Felly, i Wlad y Basg, Llydaw a Norwy yr es i yn y diwedd. Ond waeth ble yr awn i roedd fy ngreddf yn gwneud i mi gymharu sefyllfa'r wlad, yr iaith a'r diwylliant â'n sefyllfa ni yng Nghymru. Daw hynny'n amlwg i chi wrth deithio gyda mi i'r gwledydd hyn.

Ro'n i wedi bod yn Llydaw o'r blaen, droeon. Mae Dolgellau wedi gefeillio efo tref yno o'r enw Guérande, felly es i yno am y tro cynta efo'r ysgol pan oeddwn i'n 14 oed. Roeddwn i wrth 'y modd yno. *Crêpes* a *galettes*... mmmm. Yn 16 oed, mi wnes i fodio yno eto efo ffrind. Wedyn es i ar fy ngwyliau yno yn fy 20au a 30au gan 'mod i'n mwynhau mynd yno gymaint. Ond, chlywes i ddim gair o Lydaweg nes i mi gyfarfod â chriw o bobl ifanc yn Rennes. Roedd rhai'n darlithio, eraill yn dysgu Llydaweg yn y brifysgol, a phawb yn siarad efo'i gilydd mewn Llydaweg.

Dim ond unwaith ro'n i wedi bod yng Ngwlad y Basg a hynny pan wnes i gwrs Sbaeneg yn Donostia yn 2004. San Sebastián ydy enw'r lle yn Sbaeneg. Wnes i'm clywed llawer o Fasgeg chwaith bryd hynny, rhaid cyfadde. Gan 'mod i wedi dangos diddordeb yn yr iaith, fe aeth un o'r athrawon â fi efo hi ar y trên i ŵyl draddodiadol Gwlad y Basg yn Zarautz. A fanno, chlywes i ddim byd ond Euskera! Roedd pawb, yn hen ac yn ifanc, yn gwisgo dillad traddodiadol Gwlad y Basg. Pawb yn dawnsio a chanu – ac yn yfed, wrth gwrs. Gŵyl wych!

Roedd y ffaith eu bod nhw'n gwisgo eu gwisg draddodiadol yn ddiddorol. Dychmygwch Maes B ein Steddfod ni – iawn. Mae pawb yn siarad Cymraeg yno ac yn gwrando ar fiwsig Cymraeg. Ond meddyliwch petaen nhw i gyd yn gwisgo gwisg draddodiadol Gymreig hefyd! Tydy hynny ddim yn debyg o ddigwydd, nac ydy? Mae'n debyg bod 'na wisgoedd Cymreig ar gael sydd ddim mor ofnadwy o boeth a *'twee'* yr olwg â'r stwff welwch chi mewn ysgolion ar ddydd Gŵyl Dewi. Eto i gyd, dwi ddim yn gweld ein pobl ifanc ni'n heidio i'w gwisgo nhw wrth fynd ar y 'lysh' yn y Steddfod neu i'r Sesiwn Fawr yn Nolgellau. Felly pam bod y Basgiaid mor falch o wisgo'u dillad traddodiadol? Efallai oherwydd na chollon nhw'r traddodiad erioed. Efallai fod eu gwisg nhw'n well na'n gwisg Gymreig ni.

Hefyd, roedden nhw i gyd yn dawnsio, a phawb yn gwybod pob cam o'r dawnsfeydd – hyd yn oed y rhai ofnadwy o gymhleth. Dwi'n casáu dawnsio gwerin fel arfer, ond mi wnes innau roi cynnig arni – a mwynhau. Pam? Beth oedd y gwahaniaeth? Dwi ddim yn siŵr. Efallai 'mod i'n un o'r cannoedd gafodd lond bol ar ôl cael ein gorfodi yn rhy ifanc, neu'n rhy hen, i setio a phromenâdio efo bechgyn â'u dwylo chwyslyd yng ngwersyll yr Urdd yng Nglan-llyn. Ond dwi ddim yn gwybod sut byddai unrhyw un wedi gallu 'mherswadio i bod dawnsio gwerin yn 'cŵl'. Nid yn ddeg oed. Nac yn un ar bymtheg oed, chwaith. Ac yn sicr ddim rŵan – mae dawnsio gwerin yn brifo 'mhen-gliniau i.

Ro'n i wedi bod yn Norwy o'r blaen hefyd.

Ond y tro hwnnw roeddwn i'n gwneud rhaglen *Ar y Lein*. Felly welais i ddim llawer o'r lle. Dim ond maes awyr Oslo a Tromso cyn glanio ar ynys Svalbard sydd yn perthyn i Norwy. Ond nid Norwy ydy o, Svalbard ydy o. Dal efo fi?! Ond roedd y bobl oedd yn byw yno yn Norwyaid a'r hyn dwi'n ei gofio ydy bod y dynion, ar y cyfan, yn dal, yn athletaidd ac yn olygus iawn, iawn. Roedden nhw'n byw a bod ar *jet skis*. Dydy hynny ddim yn syndod achos roedd y lle'n eira i gyd. Hefyd, roedd hi'n uffernol o ddrud yno. O, ac roedd pawb yn gallu siarad Saesneg.

Ta waeth. Ro'n i'n hapus iawn i gael mynd yn ôl i Norwy, Llydaw a Gwlad y Basg. Chwefror 2007 oedd hi. Dod yn ôl o Singapore ar y dydd Mawrth, a chychwyn am Wlad y Basg ar y dydd Gwener. Prin y ces i amser i olchi a sychu 'nillad. Nid bod angen yr un math o ddillad, diolch byth. Roedd Singapore yn boeth, a dydy Ewrop ym mis Chwefror ddim! Yn enwedig Norwy.

Dim ond Rhisiart Arwel a fi oedd ar y daith, a threfnydd (neu fficsar fel maen nhw'n cael eu galw yn y busnes). Gwlad y Basg oedd y stop cyntaf, a fan'no buon ni hiraf hefyd. Dyna sy'n esbonio pam bod Gwlad y Basg yn cael cymaint o sylw yn y llyfr 'ma.

GWLAD Y BASG

REIT, FELLY. BLE'N UNION mae Gwlad y Basg? Wel, mae rhan o'r wlad yn Sbaen a rhan arall yn ne Ffrainc, a mynyddoedd uchel y Pyrenees rhwng y ddwy ran. Pe baech chi'n edrych ar fap, byddai'n rhaid edrych ar ogledd-ddwyrain Sbaen a de-orllewin Ffrainc. Ond chydig iawn o fapiau o Ffrainc a Sbaen sy'n dangos Gwlad y Basg. Fyddwch chi'n gwylltio pan mae mapiau'n dangos Cymru fel rhan o Loegr? A finna hefyd. Ond o leia mae siâp amlwg i Gymru, siâp hawdd ei adnabod.

Mae'r Basgiaid druan wedi eu gwasgu rhwng dwy wlad fawr a dydy Sbaen na Ffrainc, yn arbennig Ffrainc, ddim yn fodlon cydnabod Gwlad y Basg fel gwlad. Felly, mae'r Basgiaid yn Sbaen yn siarad Sbaeneg a'r Basgiaid yr ochr arall i'r mynyddoedd yn Ffrainc yn siarad Ffrangeg. Ac fel yng Nghymru, mae 'na bobl sydd wedi colli'r iaith Euskera. Mae 'na 3 miliwn o bobl yn byw yng Ngwlad y Basg a 3 miliwn hefyd yng Nghymru, ac mae'r gwledydd, fel mae'n digwydd, yn ddigon tebyg hefyd o ran maint.

Ond mae hanes y Basgiaid yn wahanol iawn i'n hanes ni. Mae 'na bobl o wledydd eraill wedi trio'u gorchfygu a'u concro ers canrifoedd lawer, ond lwyddodd neb yn iawn. Efallai fod Franco wedi llwyddo, i raddau, do. Ond mae'r hen deimlad eu bod nhw'n wlad yn ôl rŵan, yn gryfach nag erioed. Braidd yn wan ac yn ddi-gic ydan ni fel Cymry wrth i ni gael ein cymharu â'r Basgiaid, yn fy marn i. Mae 'na rywbeth arbennig amdanyn nhw, rhywbeth gwahanol iawn. Ond mae hynny'n gwneud synnwyr, achos does 'na neb tebyg iddyn nhw yn y byd – go iawn. Dydy'r iaith ddim yn perthyn i unrhyw iaith arall, a tydyn nhw fel pobl ddim yn perthyn i unrhyw grŵp ethnig arall chwaith. Maen nhw ar eu pen eu hunain, yn gwbl unigryw!

Ac maen nhw'n dipyn o fois. Roedd y Basgiaid yn rhai o fasnachwyr tramor cynta'r byd. Nhw hefyd oedd ymysg y cynta i sefydlu banciau ac i fod yn ddiwydianwyr mawr. Maen nhw'n enwog ers talwm am eu bwyd a hefyd am eu sgiliau fel morwyr.

Oes, mae gynnon ni Gymry sydd wedi crwydro'r byd a hwythau'n llongwyr o fri. Eto i gyd doedden nhw ddim yn yr un cae â'r Basgiaid. Dyma'r bois lwyddodd i gyrraedd Gwlad yr Iâ 'nôl yn 1412, ac mae 'na rai'n deud bod y Basgiaid wedi darganfod America ymhell cyn i Christopher Columbus wneud hynny yn 1492. Y gred ydy eu bod nhw ddim wedi deud wrth neb. Pam? Am eu bod nhw isio cadw'r morfilod a'r pysgod anferthol oedd yno iddyn nhw eu hunain!

Does wybod, a bosib na chawn ni byth wybod yn iawn, ond roedden nhw'n bendant yn hwylio 'nôl a 'mlaen i Ganada'n gyson rhwng 1530 a 1600. Sut ydw i'n gwybod hyn? Am 'mod i wedi bod yn amgueddfa Red Bay, yn Labrador, Canada. Yno mae hen harbwr lle mae 'na gant a mil o olion pysgotwyr o Wlad y Basg – eu cychod a'u cyrff.

Os ydach chi am ddarllen llyfr sy'n rhoi eu hanes yn llawn, mae *The Basque History of the World: The Story of a Nation* gan Mark Kurlansky yn wych. Dwi ddim yn mynd i ddyfynnu ohono o gwbl, jest deud ei bod hi'n gyfrol wnaeth wneud i mi deimlo pam na allwn ni, y Cymry, fod fel y Basgiaid?

Dyna ro'n i'n ei deimlo hefyd yn ystod y daith pan oeddwn i'n recordio'r rhaglen *Y Gwledydd Bychain* ar gyfer y radio. Ond mae pethau'n gymhleth yno heddiw a dwi am drio egluro'n syml iawn sefyllfa'r iaith ar hyn o bryd yng Gwlad y Basg – yr Euskera.

Mae'r Basgiaid yn galw'r tir sydd yn Ffrainc yn Dir y Gogledd (Iparralde). Maen nhw'n

galw'r tir sydd yn Sbaen yn Dir y De (Hegoalde).
Mae 'na tua 250,000 o bobl yn byw yn Ffrainc
– Tir y Gogledd – a thua 60,000 ohonyn nhw'n
siarad yr iaith Euskera. Fel yng Nghymru, yn
yr ardaloedd gwledig, amaethyddol gan fwya
maen nhw'n siarad Euskera. Rhaid cofio nad
ydy llywodraeth Ffrainc yn cydnabod yr iaith
(nac unrhyw iaith arall heblaw'r Ffrangeg) a
does gan y Basgiaid yn Ffrainc ddim hawliau fel
sydd gynnon ni yng Nghymru.

Yn Sbaen, yn Nhir y De, mae 'na bedair sir –
tair lle mae'r iaith yn gryf, a Nafarroa, lle collwyd
yr iaith ganrifoedd yn ôl. Mae'n dechrau cael
ei dysgu yno eto ond dydy'r llywodraeth leol
ddim yn ei chefnogi o gwbl, ac maen nhw hyd
yn oed yn tynnu'r arwyddion Euskera i lawr!

Ond mae pethau'n gwbl wahanol yn y tair sir
arall. Yno mae dinas fawr Bilbao (neu Bilbo yn
yr iaith Fasgeg) a San Sebastián, sef Donostia i'r
Basgiaid. Mae 2.1 miliwn o'r 3 miliwn o Fasgiaid
yn byw yn y siroedd hyn, ac mae sefyllfa'r iaith
yn wirioneddol gryf – llawer cryfach nag yng
Nghymru. Mae 32% o boblogaeth y siroedd hyn
yn siarad Euskera yn rhugl a 23% arall yn deud
eu bod nhw'n ei deall hi. Yng Nghymru, dim
ond rhyw 23% ohonon ni sy'n siarad Cymraeg
ac mae rhai'n deud ei fod o cyn lleied â 20%.

Mae pethau wedi gwella'n fawr yn ieithyddol

yn ddiweddar yn y 'tair sir'. 'Nôl yn 1981, dim ond ychydig dros 20% o siaradwyr rhugl oedd yno, a dros 60% yn methu siarad gair o Euskera. Erbyn 2001, dim ond rhyw 45% oedd ddim yn gallu siarad yr iaith, a'r rhai rhugl wedi codi i dros 30%. Ac fel yng Nghymru, yr ysgolion sydd wedi bod yn bennaf cyfrifol am y newid mawr. Yn 1982/83, roedd 'na lai na 20% o blant yn cael eu haddysg drwy gyfrwng yr Euskera. Erbyn 2004/5, roedd hyn wedi codi i o leia 70%. Iawn, mae 'na gynnydd ymysg plant wedi bod yng Nghymru hefyd, diolch i ysgolion Cymraeg y de. Gallwn ddeud eu bod yn gallu siarad Cymraeg er nad ydy hynny'n golygu eu bod nhw'n defnyddio'r iaith y tu allan i'r dosbarth.

Y Tair Sir yng Ngwlad y Basg

Blynyddoedd	Siaradwyr Rhugl	Heb Fod yn Siarad Gair
1981	20%	60%
2001	30%	45%

Blynyddoedd	Addysg Drwy Gyfrwng yr Euskera
1982/3	20%
2004/5	70%

A dyma lle mae'r tebygrwydd yn gorffen. Yn y 'tair sir' yng Ngwlad y Basg, mae 'na bres mawr wedi cael ei dywallt i ddysgu'r iaith i oedolion hefyd. Yn ystod yr 80au a'r 90au mi gafodd miloedd ar filoedd o weision sifil, gan gynnwys athrawon, eu rhyddhau o'u gwaith am flwyddyn neu ddwy i ddysgu Euskera yn iawn – a hynny ar gyflog llawn! Allwch chi ddychmygu hynna'n digwydd yng Nghymru? Hyd yn oed pe bai'r Cynulliad yn gallu dod o hyd i ddigon o bres i wneud hyn mi fyddai 'na lythyrau cas yn cyrraedd y *Daily Post* a'r *Western Mail*.

Mi ges i fy synnu pa mor hawdd oedd hi i bobl ddysgu Euskera; mae 'na wersi ar gael ar-lein, gwersi gyda'r nos ac yn ystod y dydd, cyrsiau preswyl, cyfle i aros efo teuluoedd – ac mae'r gwersi hyn i gyd yn rhad iawn. Ac os ydy'r dysgwyr yn mynd i bob gwers ac yn llwyddo i gyrraedd lefel arbennig, maen nhw'n cael eu pres yn ôl! Meddyliwch mewn difri calon! Dyna i chi ffordd wych o wneud i bobl fod isio llwyddo. Dychmygwch Weight Watchers yn cynnig rhoi pob dimai'n ôl i bobl sydd wedi cyrraedd eu *'target weight'*. Mi fyddai pawb yn slim, ond mi fyddai Weight Watchers yn fethdalwyr...

Mi wnes i gynhyrfu'n rhacs pan ddes i wybod hyn. Dyma'n union beth sydd ei angen arnon ni yng Nghymru. Pres i ddysgu Cymraeg i oedolion. Nid dim ond i gyfieithu dogfennau hir a diflas!

Fel ro'n i'n cychwyn am Wlad y Basg, ro'n i wedi clywed ar y radio fod Bwrdd yr Iaith wedi penderfynu peidio â rhoi arian i CYD, y gymdeithas sy'n helpu oedolion sy'n ddysgwyr Cymraeg. Nhw sy'n gofalu bod gan ddysgwyr y cyfle i gymdeithasu drwy gyfrwng eu hiaith newydd. Mae hyn yn ofnadwy o bwysig pan ydach chi'n trio dysgu unrhyw iaith.

Wel, mae gan y Basgiaid gymdeithas o'r enw Topagunea sy'n gwneud yr un math o beth yn union â CYD. Mi wnaethon nhw arwyddo cytundeb yn ddiweddar efo llywodraeth Gwlad y Basg i sicrhau llawer o bres – pres ar gyfer datblygu un o'u cynlluniau gorau a'i ehangu dros y wlad i gyd. Mintzapraktika, sef ymarfer sgwrsio, ydy enw'r cynllun hwnnw. Cynllun ydyw sy'n hel criwiau bychain at ei gilydd – 3, 4 neu 5 o bobl fel arfer – i wneud pob math o weithgareddau efo'i gilydd, drwy gyfrwng yr Euskera, wrth gwrs. Ond mae'n rhaid i un neu ddau o bob criw fod yn siaradwyr rhugl. Faint o Gymry Cymraeg fyddai'n fodlon rhoi rhywfaint o'u hamser i helpu dysgwyr, ys gwn i? Achos does 'na neb yn cael eu talu am hyn. Mi fues i'n siarad efo Basgwr rhugl oedd wrth ei fodd efo'r cynllun.

'Dwi wedi gneud ffrindiau da,' medda fo, 'a paid â meddwl mai'r dysgwyr ydy'r unig rai sy'n dysgu ac yn elwa o'r profiad.'

Beth mae Cymdeithas Topagunea'n ei wneud ydy hel manylion pawb sydd am gymryd rhan yn y prosiect. Yna, byddan nhw'n rhoi pobl o'r un oed a diddordebau gyda'i gilydd – bron fel *dating agency*. (Oes, mae angen term Cymraeg am hynny hefyd. Bwrdd bachu? Cymdeithas Cariad? Criw Caru?) Wedyn bydd y grŵp yn mynd i gerdded neu ddringo neu yfed neu chwarae cardiau efo'i gilydd – beth bynnag sy'n apelio at y criw hwnnw. Mae'n swnio fel syniad arbennig o dda i mi, ac mi ddylen ni i gyd ddechrau ffurfio criwiau tebyg yn o handi. Mae'n hen bryd i fwy o Gymry Cymraeg wneud rhywbeth positif fel hyn yn hytrach na dim ond cwyno nad yw'r mewnfudwyr yn gwneud llawer o ymdrech i ddysgu Cymraeg. Oes, mae isio'n hysgwyd ni!

Byd y Llyfrau yng Ngwlad y Basg

Ces i sgwrs na wna i byth ei hanghofio efo Bernardo Atxaga. Na, doeddwn i rioed wedi clywed amdano fo cyn hynny chwaith. Mae o'n awdur enwog dros y byd i gyd a'i waith wedi cael ei gyfieithu i ugeiniau o ieithoedd.

17

Fo, yn bendant, ydy llenor mwya Gwlad y Basg. Mae o mor 'fawr', roedd gen i ofn ei gyfarfod o. Ro'n i'n poeni y byddai o... wel, yn dipyn o snob llenyddol ac yn sbio i lawr ei drwyn ar fy nghwestiynau pitw i. Ond ddim o gwbl! Mae o'n edrych fel un o'r bugeiliaid welais i yn y mynyddoedd, ac yn glên ac yn annwyl.

Fo ydy un o'r siaradwyr mwya carismatig dwi wedi'u cyfarfod erioed – er nad o'n i'n deall gair roedd o'n ei ddeud! Mae o'n gallu siarad Saesneg yn iawn, ond roedden ni'n cynnal cyfweliadau drwy gyfrwng yr iaith Euskera a'r Gymraeg efo pawb, dach chi'n gweld, gan fod ein cyfieithydd, Alan King, yn gallu siarad y ddwy iaith yn rhugl.

Ond stori arall ydy honno. 'Nôl at Bernardo. Mi gafodd wahoddiad i siarad yn y Babell Lên yn Eisteddfod y Fflint 2007. Dim ond rhyw 50 oedd yn y gynulleidfa, felly mae'n debyg nad oeddech chi yno i wrando arno fo. Na finnau, ro'n i'n rhy brysur yn paratoi i hedfan i China. Ond mi faswn i wedi bod wrth fy modd yn gwrando ar Bernardo Atxaga. Roedd ganddo fo bethau i'w deud am yr iaith Euskera oedd jest â gwneud i mi grio. Er enghraifft, pan ddywedodd o fod ei nofelau o'n gwerthu 20,000 o gopïau yr un (yn yr iaith Euskera'n unig!), ro'n i'n gegagored. 20,000!

Mae nofel Gymraeg yn gwneud yn dda os ydy hi'n gwerthu 1,500. Os ydy hi'n gwerthu 3 neu 4 mil, mae hi'n *bestseller.* 'Ond mae'r Basgiaid fel tasen nhw i gyd yn rhan o glwb,' meddai Bernardo, 'i gyd yn rhannu'r un cariad angerddol at yr iaith. Ac os ydy llyfr yn dda, mi wnân nhw ei brynu o. Er enghraifft,' meddai, 'mi ofynnodd cymydog i mi a oeddwn i wedi clywed un CD Euskera oedd newydd ymddangos. Nac oeddwn. Roedd o am brynu copi i mi felly. Nid cynnig rhoi ei fenthyg i mi na'i lawrlwytho oddi ar y We, sylwch, ond ei brynu.'

Yng Ngwlad y Basg byddan nhw'n benthyca stwff Sbaeneg i'w gilydd, ond os oes rhywbeth yn yr iaith Euskera – rhaid ei brynu. Ydan ni'r Cymry'n meddwl fel'na? Nac ydan siŵr! Mae'n well gynnon ni feirniadu ymdrechion creadigol. Efallai 'mod i'n gor-ddeud gan fod yng Nghymru niferoedd bychan o bobl sy'n prynu cylchgronau Cymraeg, yn gwylio S4C yn ffyddlon ac yn cadw botwm y radio ar Radio Cymru. Dyna pam ein bod ni'n dal i wfftio a chwyno na wnaiff papur dyddiol Cymraeg weithio, tra bod gan y Basgiaid nid yn unig bapur dyddiol cenedlaethol sy'n gwerthu'n dda, ond hefyd rwydwaith o bapurau dyddiol lleol.

Rhaid cofio na fu ganddyn nhw iaith ysgrifenedig sy'n ddealladwy i bawb ers blynyddoedd mawr! Ro'n i'n drist a blin ar ôl y sgwrs hon gyda Bernardo Atxaga, ond eto wedi fy ysbrydoli hefyd. Mae'r Basgiaid yn dangos beth sy'n bosib ei gyflawni.

Mae angen i ni'r Cymry newid ein ffordd o feddwl yn gynta wrth gwrs, a dwi'n gweddïo nad ydy hi'n rhy hwyr. Ond mae angen cael mwy ohonon ni hefyd, mwy o Gymry Cymraeg. Dyna pam fod angen cael mwy o oedolion i ddysgu Cymraeg a mwy o fabis mewn ardaloedd lle mae'r iaith yn dal yn gryf! Bron na faswn i'n ystyried cael clec fory nesa...

Pobl Fusnes

Dydy pethau ddim yn ddelfrydol yng Ngwlad y Basg neu fyddai 'na ddim cymaint o brotestio na brwydro o hyd. Fyddai ETA ddim yn bod, chwaith. ETA ydy'r mudiad sy'n cyfateb i'r IRA yng Ngogledd Iwerddon. Ond mae Gwlad y Basg yn llawer cryfach na ni am fod yr economi gymaint yn gryfach. Mae'r Basgwyr yn weithwyr caled, bois bach. Ac maen nhw'n genedl efo brêns am fusnes. Dyna'r rheswm pam nad ydy Sbaen isio rhoi hunanlywodraeth i'r wlad, mae'n debyg. Mae 'na ormod o bres yng Ngwlad y Basg.

Mae ganddyn nhw ddychymyg a gweledigaeth hefyd. Pwy ond y Basgiaid fyddai wedi gallu denu'r Guggenheims i roi amgueddfa yn Bilbao? Rhwng pob dim, mi gostiodd ffortiwn, ond mae hi wedi rhoi Bilbao ar y map ac yn sicr wedi dod â phres i'r ddinas. Mae pobl yn heidio yno o bob man rŵan a do, mi es i yno. Mae'n adeilad anhygoel, ond do'n i'm cweit yn deall nac yn gallu ymateb i bob gwaith celf oedd yno. Ond dyna fo, dw i'n drysu yn y Babell Gelf yn y Steddfod weithiau hefyd.

Neges Gwlad y Basg ydy bod gwneud pres ddim yn golygu anghofio eich iaith. Mi ges i ffit yn archfarchnad Eroski: mae'r posteri yno i gyd yn yr iaith Euskera, a'r labeli ar y nwyddau i gyd mewn pedair iaith – Sbaeneg, Euskera, Catalaneg a Galisieg. Dychmygwch allu prynu menig rwber efo 'menig rwber' ar y pecyn a thriog melyn efo 'triog melyn' ar y tun. Miwsig Euskera hefyd oedd yn chwarae er mwyn annog y cwsmeriaid i brynu; roedd hi fel mynd i Spar yn dre a chael eich serenêdio gan Mim Twm Llai neu Gwyneth Glyn.

Cwmni cydweithredol (co-op yn Gymraeg...) ydy Eroski, felly mae'r elw i gyd yn mynd yn ôl i'r Basgiaid. Mae 'na siopau ym mhob rhan o Wlad y Basg – ac maen nhw hyd yn oed wedi ehangu i Sbaen! Felly pam na fedrwn ni ddechrau rhywbeth tebyg yng Nghymru – a llwyddo? Dwi'n gwybod am gwmnïau cydweithredol tebyg ddechreuodd yng Nghymru 'nôl yn y 60au. Ond mynd i'r wal fu eu hanes nhw, neu gael eu prynu gan gwmnïau mwy. Dwi ddim yn siŵr iawn pam.

Mi ofynnais i reolwraig y gangen Eroski yn Zarautz a oedd pobl wedi cwyno am y gost o roi Euskera ar bob pecyn. Mi edrychodd yn hurt arna i, fel taswn i wedi gofyn cwestiwn hollol ddwl. Ond yng Nghymru, y gost fyddai'r cwestiwn cyntaf, yndê?

Y Bobl

Nid Basgwr oedd yn trefnu pob dim i ni, ond Sais! Mae Alan King yn dod o ochrau Blackpool ac mi benderfynodd ddysgu Cymraeg ar ôl clywed Radio Cymru a gweld ei dad yn pwyntio at Gymru a deud eu bod nhw'n siarad iaith arall 'draw fan'na'. Ond wedi dysgu Cymraeg, aeth o i Wlad y Basg, ac mae'n rhugl yn yr iaith honno rŵan hefyd. Mae o'n fychan ac yn dywyll a dydy o ddim yn edrych allan o'i le o gwbl yng nghanol yr holl Fasgiaid.

Mae Diana, ei gariad, yn dod o El Salvador ac yn athrawes sy'n dysgu Euskera. Maen nhw'n byw yn Zarautz rŵan. Tre glan môr yw hi, gyda rhyw ugain mil o bobl yn byw yno ac mae'n denu llawer o dwristiaid. Dyma'r dre lle mae'r Euskera ar ei chryfaf yng Ngwlad y Basg. Fan'no roedden ni'n aros, mewn tafarn o'r enw Tikki Polit – yr ystafelloedd gwely'n ddigon taclus ac yn edrych i lawr dros un o sgwariau'r dre. Ro'n i wrth fy modd yno; roedd y tapas (gwahanol fathau o snacs bychain, fel darn o sardîn ar wely o afocado ar ddarn o fara...) yn hyfryd. Yno hefyd roedd 'na ddigon o Euskera i'w chlywed ym mhobman – yn y bar, ar y teledu ac yn papurau newydd.

A sôn am bapurau newydd, mae'r wasg yng Ngwlad y Basg yn hynod lwyddiannus. Mae *Berria*, y papur newydd dyddiol yn yr iaith Euskera, yn gwerthu ugain mil o gopïau bob dydd. Mae hynna'n rhif anhygoel. Dydy ein cylchgronau wythnosol Cymraeg ni ond yn llwyddo i werthu ychydig filoedd. Wrth i mi sgrifennu hwn, dwi ddim yn gwybod eto be ddaw o bapur newydd dyddiol *Y Byd*. Ond dwi'n gwybod eu bod nhw'n realistig (yn hynod optimistaidd yn ôl eraill) yn gobeithio gwerthu 7,000 o gopïau y dydd yn ystod y flwyddyn gynta ac yn gobeithio ychwanegu at y rhif hwnnw wedyn. Ond mae 'na'r un faint o siaradwyr Cymraeg ag sy 'na o siaradwyr Euskera! Pam na fedrwn ni ddisgwyl gwerthu 20,000?! Mae'n warth nad ydyn ni'n cefnogi'n gilydd i gadw'r iaith yn fyw mewn print yn ogystal ag ar lafar.

Mi ges i'r fraint o gyfarfod â golygydd *Berria*, Martxelo Otamendi. Athro oedd o a benderfynodd droi at newyddiadura a llwyddo i greu papur dyddiol yn yr iaith Euskera. Ei holi am y papur, y ffigyrau gwerthu ac ati ro'n i fod i'w wneud, ond ro'n i isio ei holi am rywbeth arall hefyd, rhywbeth roedd Alan King wedi sôn wrtha i amdano.

Yn 2003 aeth Martxelo Otamendi i drafferth ar ôl cyhoeddi cyfres o erthyglau am y grŵp terfysgol ETA. Roedd o wedi llwyddo i gael cyfweliad efo rhai ohonyn nhw, ac roedd awdurdodau Sbaen eisiau gwybod pwy oedden nhw. Ond mae gan newyddiadurwyr yr hawl gyfreithiol i beidio â datgelu eu ffynonellau, ac roedd Martxelo yn glynu at hynny. Mi wnaeth awdurdodau Sbaen gau'r papur, a mynd â Martxelo a chriw o'i newyddiadurwyr i'r carchar ym Madrid. Y sôn oedd iddo gael ei arteithio yno. Mi wnes i ofyn a oedd o isio sôn am ei brofiadau yn y carchar, ac er mawr syndod i ni i gyd, oedd, roedd o'n fodlon trafod hynny. O ddifri, mi siaradodd â mi fel pwll y môr! Dyma ddywedodd o wrthon ni yn Euskera, yr hyn y bu'n rhaid i Alan ei gyfieithu i Rhisiart a finnau.

'Yn gynta, mi wnes i dreulio tri diwrnod heb gysgu o gwbwl, yn gorfod sefyll yn erbyn wal mewn cell fechan am bedair neu bum awr ar y tro. Wedyn roeddwn i'n cael eistedd ar y gwely am ryw ugain munud cyn gorfod sefyll eto am oriau. Mi ges i 'ngorfodi i neud *push-ups* a phethau corfforol fel'ny, weithiau'n noeth, weithiau ddim, nes 'mod i wedi ymlâdd yn llwyr ac yn methu dal ati.

'Pan oedden nhw'n mynd â fi allan o'r gell i gael fy holi, roedden nhw'n rhoi mwgwd dros fy mhen, felly do'n i ddim yn gwbod i ble ro'n i'n mynd nac yn gwybod pwy oedd yn fy arwain i.

'Wrth fy holi, beth roedden nhw isio gwbod oedd sut roeddwn i wedi cysylltu gydag ETA, a chyda phwy ro'n i wedi siarad i drefnu'r cyfweliad, ac yn y blaen. Mae hyn yn wybodaeth broffesiynol wrth gwrs, ac mewn unrhyw broffesiwn mae gan rywun yr hawl gyfreithiol i gadw cyfrinachau proffesiynol.

'Roedden nhw hefyd yn defnyddio rhywbeth oedd yn teimlo fel gwn. Mi fyddai o'n cael ei roi wrth fy mhen ac ro'n i'n gallu clywed sŵn 'clic'. Wedyn, wrth iddo gael ei roi yn fy llaw, daeth yn amlwg mai gwn oedd o.

'Wedyn, dechreuodd pethau waethygu. Ar y diwrnod ola, mi wnaethon nhw roi bag plastig dros fy mhen a'i glymu o gwmpas fy ngwddw. Ymateb naturiol rhywun ydy trio anadlu a gweiddi. Be sy'n digwydd wedyn ydy bod y plastig yn mynd i mewn i geg ac i fyny trwyn yr un sy'n cael ei holi. Ro'n i'n wir yn credu 'mod i'n mynd i fygu.'

Dywedodd hefyd eu bod nhw wedi gwneud pethau llawer gwaeth iddo fo. Gan nad ydy llywodraeth Sbaen yn derbyn eu bod nhw'n arteithio unrhyw un, mi benderfynodd y BBC beidio â chynnwys y darnau hynny ar y rhaglen. Ond mae hawl gen i i ddeud pob dim wrthych chi yn y llyfr yma.

Mae Martxelo yn hoyw a dydy o erioed wedi ceisio cuddio hynny. Yn wir, mae pawb yn gwybod ei fod yn hoyw. Mi gafodd ei orfodi i blygu drosodd yn noeth ar y grisiau, mewn ystum rhywiol.

'Rydan ni wedi bod yn siarad efo dy ffrindiau di a rŵan rydan ni'n gwybod be ti'n 'i licio a sut ti'n 'i licio fo,' medden nhw wrtho fo. Yna mi aethon nhw ati i wneud pethau cas a chasach fyth iddo. Wnaeth o ddim helaethu, ond doedd dim rhaid iddo fo, nag oedd?

Roedd gwrando arno fo'n sioc i ni, a deud y lleia, ac roedd hi mor anodd gwylio Alan druan yn ceisio cyfieithu hyn oll i ni ac yntau dan deimlad. Roedden ni i gyd yn fud.

Ond doedd y Basgiaid ddim yn fud. Pan gafodd Martxelo a'i gyd-weithwyr eu restio, mi fuodd 'na brotestio, bobl bach. Mi wnaeth miloedd ar filoedd orymdeithio'n chwyrn drwy Donostia. Mi fu'n rhaid i'r awdurdodau ryddhau Martxelo pan dalodd ei deulu 30,000 euro o feehnïaeth. Dim ond am bum niwrnod oedd o yn y carchar, ond mi fu ei gyd-weithwyr yno am fisoedd, ac un ohonyn nhw am flwyddyn a hanner.

Mi ddechreuodd Martxelo bapur newydd arall yn syth bìn – *Berria*, ac mi gododd nifer y darllenwyr o 15,000 i 20,000. A dyna ydy'r gwerthiant o hyd.

Wedi cael amser i ddod dros y cyfweliad anhygoel hwn, mi wnes i ei holi am y papur newydd a gofyn be oedd ei gyngor i ni yng Nghymru.

'Wel, os ydy eich agwedd yn negyddol, fydd dim byd byth yn gweithio. Ond mae'n profiad ni gyda'r papur yn dangos ei bod hi'n bosib – mae'n gweithio ac yn llwyddiant. Mae angen lot fawr o waith, lot o ymdrech. Mynd o ddrws i ddrws i chwilio am gefnogaeth. Heb bapur newydd eich hunain fydd y Gymraeg ddim yn gallu dod ymlaen yn y byd, neu o leia ddim yn gallu bod yn un o'r ieithoedd modern.

'Os cewch chi'ch papur, mi fyddwch yn gweld y bydd o'n sôn am y pethau dydy'r papurau eraill ddim yn siarad amdanyn nhw. Mae hynny wedi digwydd gyda ni. Rydan ni wedi gorfodi'r bobl eraill i drafod y pynciau hyn, dim ond oherwydd ein bod ni yma. Beth mae'n ei neud ydy dangos y ffordd iddyn nhw.'

Yn hwyrach y noson honno, mi gawson ni gyfle i gyfarfod gŵr ifanc oedd yn gweithio i grŵp o'r enw TAT, sef Torturaren Aurkako Taldeak (Grwpiau yn Erbyn Arteithio). Ddywedodd o ddim beth oedd ei enw o, ond mi ddywedodd yn blwmp ac yn blaen fod gwladwriaeth Sbaen yn bendant yn arteithio pobl. Mi ddywedodd hefyd fod pobl wedi cael eu carcharu am ddeud yn y llys eu bod nhw wedi cael eu harteithio. Gan fod y wladwriaeth yn gwadu bod unrhyw fath o arteithio'n digwydd yn Sbaen, maen nhw'n mynnu bod y bobl hyn yn deud celwydd. Mae Amnesty International wedi sgrifennu llawer o adroddiadau yn cwyno ac yn gofyn i Sbaen gyfadde bod arteithio'n dal i ddigwydd ac i beidio ag arteithio. Ond mae awdurdodau Sbaen yn dal i fynnu mai celwydd ydy'r cyfan. A rŵan dach chi'n sylweddoli pam na alla i enwi'r boi ifanc o TAT, hyd yn oed taswn i'n gwybod beth oedd ei enw o.

Ysgolion

Tan ddiwedd y 70au, roedd y Basgiaid dan fawd llywodraeth Franco. Bryd hynny roedd siarad yr iaith Euskera wedi cael ei wahardd, heb sôn am ddysgu pynciau trwy gyfrwng yr iaith! Ond ers dechrau'r 80au, pan gafodd y Basgiaid eu llywodraeth eu hunain, mae rhieni rŵan yn cael dewis. Mi allan nhw naill ai anfon eu plant i gael addysg yn gyfan gwbl trwy'r Euskera, neu'n gyfan gwbl trwy'r Sbaeneg, neu ddewis ysgolion dwyieithog sef hanner y gwersi yn yr iaith Euskera a hanner yn Sbaeneg.

Mi aethon ni i ysgol Orio, lle maen nhw'n dysgu pob pwnc trwy gyfrwng yr Euskera. Yn fuan ar ôl i ni recordio'r rhaglen *Y Gwledydd Bychain*, mi gawson ni wybod na fyddai dewis gan rieni ac y byddai pob ysgol yn uniaith Euskera. Dim ond yn y 'tair sir' orllewinol lle mae'r iaith ar ei chryfaf y bydd hyn yn digwydd, wrth gwrs. Yn nhir y gogledd, y rhan sydd yn ne Ffrainc, does 'na ddim cefnogaeth o gwbl i addysg drwy gyfrwng yr iaith Euskera, a tydy sir Nafarroa fawr gwell.

Mi wnes i fwynhau bod yn ysgol Orio yn fawr iawn. Fel mwyafrif ysgolion y wlad, mae 'na blant o ddwy i un ar bymtheg yno, i gyd yn derbyn eu haddysg yn yr un adeilad. Fyddwn i ddim yn hoffi gweld y syniad hwnnw'n cael ei dderbyn yn ysgolion Gwynedd, ond diawch erioed, roedd o'n gweithio'n *champion* yn Orio. Cofiwch, roedd hwn yn un o'r syniadau gafodd eu cynnig gan y Cyngor Sir wrth drafod newidiadau yng Ngwynedd. Felly, mae'n bosib mai ofni pethau diarth rydan ni yng Nghymru wledig. Dwn i ddim.

Credwch fi neu beidio, ond roedd un o athrawesau ysgol Orio yn siarad Cymraeg! Begotxu Olaizola ydy ei henw hi, ac mi ddysgodd Gymraeg pan oedd hi'n gweithio yn Mercator yn Aberystwyth. Roedd hi'n gweld dyfodol llewyrchus i'r iaith Euskera, ond doedd hi ddim mor siŵr amdanon ni yng Nghymru. Dydy'r ewyllys i gefnogi'r iaith ddim cyn gryfed yng Nghymru ag ydy o yng Ngwlad y Basg, yn ei barn hi.

Diboblogi

Ond does bosib ei bod hi mor berffaith yng Ngwlad y Basg! Mae'n rhaid bod 'na rywfaint o broblemau'n dal i wynebu'r iaith, hyd yn oed yn y 'tair sir', hyd yn oed yn rhywle fel Zarautz. Mae hi'n dref tua'r un maint â'r Drenewydd, tua hanner maint Llanelli neu Wrecsam, ond o ran siarad Euskera, mae'n debycach i Gaernarfon. Mae dros 80% o bobl yn ei siarad hi bob dydd yno.

Ar yr wyneb, mae golwg digon llewyrchus ar y lle ac ar y bobl; llawer o dai crand, drud yr olwg a neb yn edrych yn dlawd, neb ar gornel stryd yn gwerthu'r *Big Issue*. Ond roedden ni am wybod oes ganddyn nhw broblemau megis diboblogi.

Ydy eu pobl ifanc nhw'n gorfod gadael i chwilio am waith er mwyn ennill cyflogau gwell? Yn ôl Paul Muŷoa, sy'n gweithio yn adran gynllunio Cyngor Tref Zarautz, nac ydyn. 'Mae 'na ddigon o waith yma,' meddai, 'felly tydy pobl ddim yn dueddol o adael Gwlad y Basg i chwilio am waith. Os ydyn nhw'n gadael, mae hynny oherwydd eu bod nhw jest isio mynd, ddim am unrhyw reswm arall. Ac er bod tai yn ofnadwy o ddrud 'ma, mae pobl yn dal i aros, felly 'dan ni ddim yn colli pobl.'

Mi ofynnais iddo fo pa iaith roedd o'n ei defnyddio yn ei waith bob dydd, Euskera neu Sbaeneg?

'Wrth siarad, yr Euskera bydda i'n ei defnyddio. Ond o achos bod rhaid i mi ysgrifennu lot o ddogfennau ac adroddiadau hir, yn Sbaeneg bydda i'n ysgrifennu. O ran gwaith y Cyngor ei hun, yr un ydy'r sefyllfa ag sy'n digwydd yn y gymdeithas yn gyffredinol. Os oes rhywun yma sy ddim yn siarad Euskera, mae pawb yn dueddol o newid i Sbaeneg. Dyna beth sy'n digwydd o hyd mewn cymdeithas, yndê? Yn anffodus fel hyn mae pethau.'

Digon tebyg i'r sefyllfa yng Nghymru eto felly. Ond be am y Basgiaid ifanc? Ydyn nhw'n troi at yr iaith Sbaeneg pan fydd 'na bobl sy'n methu siarad Euskera yn eu cwmni? Aethon ni

31

i fath o glwb ieuenctid o'r enw Gastetshe i holi criw ohonyn nhw. Roedd o'n edrych yn union fel y bar coffi oedd gynnon ni ym Mhantycelyn ers talwm. Ystafell go fawr efo byrddau a chadeiriau a bar yn gwerthu diodydd o bob math a miwsig cyfoes yn canu yn y cefndir. Yr unig wahaniaeth oedd y *murals* mawr ar hyd y waliau o bobl yn cael eu harteithio a'u saethu gan ffigyrau mewn gwisg filitaraidd. Oedd, roedd y posteri gwleidyddol yn dipyn cryfach na'n posteri bach 'Popeth yn Gymraeg' ni.

Roedd awdurdodau Zarautz wedi darparu clwb ieuenctid newydd sbon, taclus ar gyfer y bobl ifanc hyn ond doedd y criw yma ddim yn hapus o gwbl efo hynny. Roedden nhw'n ddiolchgar am yr adeilad a'r adnoddau, oedden, diolch yn fawr. Ond doedden nhw ddim yn hapus bod rhaid cael swyddogion Cyngor y Dref yn gofalu amdanyn nhw na bod yn rhaid cadw at ryw rheolau llym. Felly, mi wnaethon nhw foicotio'r clwb hwnnw a dechrau'r clwb yma eu hunain.

Mi ddaethon nhw o hyd i hen ffatri fechan wag a sgwotio, fwy neu lai, ynddi! Roedd hynny'n gwbl anghyfreithlon, wrth reswm. Chwarae teg i Gyngor Tref Zarautz, mi fuon nhw'n trafod efo'r bobl ifanc a nhw sy'n ariannu'r clwb erbyn hyn. Bellach, felly, maen nhw'n rhoi digon o ryddid i'r bobl ifanc i edrych ar eu hôl eu hunain. Ro'n i'n gorfod gwenu pan ddaeth 'na don o arogl melys o gyfeiriad un o'r hogia. Roedd o'n smocio sbliff o'n blaenau ni! Cês...

Iawn, felly dyma ddechrau holi a oedd yr iaith Euskera yn bwysig iddyn nhw:

'Wrth gwrs ei bod hi'n bwysig,' meddai hogyn tua 18 oed efo gwallt byr, sbeici. 'Euskera ydy'n hiaith ni ac mae 'na ddyletswydd arnon ni i'w siarad hi.' Roedd pawb yn cytuno efo fo. Ond ro'n i wedi cyfarfod un boi o'r blaen ac yn gwybod mai hogyn o Bilbao oedd o'n wreiddiol. 'Ydi hi'r un fath yn fan'no?' gofynnais, gan wybod yn iawn y byddai pethau'n wahanol mewn dinas fawr, gosmopolitan.

'Mae na Gastetshe yn Bilbao,' meddai, 'ond tydyn nhw ddim yn siarad llawer o Euskera yno a bod yn onest. Mae 'na glybiau fel hyn ar hyd a lled y wlad, ond o ran clywed yr iaith, mae'n dibynnu ym mha ran o'r wlad rydach chi. Mae pobl ifanc Bilbao i gyd yn gallu siarad Euskera wrth gwrs, maen nhw i gyd wedi'i dysgu hi yn yr ysgol. Taset ti'n gofyn cwestiwn iddyn nhw yn yr iaith Euskera, mi fydden nhw'n gallu dy ateb di'n iawn, ond tydyn nhw ddim yn siarad yr iaith ymysg ei gilydd.'

Felly, be sy'n digwydd pan fydd rhywun yn dod yma sydd ddim ond yn siarad Sbaeneg?

'Mi fydden ni'n siarad Sbaeneg efo fo neu hi ond yn cario 'mlaen i siarad Euskera efo'n gilydd. Fe ddylai'r person hwnnw ddeall mai Euskera ydy iaith y dre 'ma. Felly, os ydyn nhw isio byw yn Zarautz ac isio teimlo'n "normal" ymysg pawb sy o'u cwmpas a'r rheiny'n siarad Euskera, mae'n rhaid iddyn nhw ddysgu'r iaith.'

Do, mi wnes i gymryd at y criw yma'n arw. Byddan nhw hefyd yn cynnal gìgs, trafodaethau am bob math o bynciau, a chlwb ffilmiau fel rhan o'u gweithgareddau. Clwb ieuenctid sy'n swnio'n waraidd a soffistigedig iawn i mi. Roedd ganddyn nhw hyd yn oed orsaf radio i fyny'r grisiau! Dwi ddim yn siŵr pa mor gyfreithlon oedd honno, achos mi ges i wahoddiad i gymryd rhan yn y rhaglen roedden nhw'n ei darlledu ar y pryd, a do'n i ddim i fod enwi neb!

Criw o ryw bedwar oedd yno, ar ganol trafod y ffordd orau i fwyta sbageti heb wneud llanast. Pam lai? Roedden nhw i gyd yn siarad fel pwll y môr, beth bynnag, yn chwerthin lot ac yn swnio'n ffraeth iawn i mi. Cyfrannu yn Sbaeneg wnes i wrth reswm. Dydy fy ngafael i ar yr iaith Euskera ddim cweit yn ddigon da i gynnal sgwrs hyd yn hyn ac roedd siarad yn fyw ar y radio yn Sbaeneg yn ddigon anodd. Chwysu? *Si, mucho.*

Ysbryd Dibynnol

Roedd hi'n amlwg nad ydy'r genhedlaeth yma o
Fasgiaid yn rhy hoff o adael i neb ddeud wrthyn
nhw beth i'w wneud na sut i'w wneud o. Yn
wir mae'r ysbryd annibynnol wedi bod yn reit
ddwfn yng nghymeriad y Basgiaid erioed.
Roedd y sefyllfa'n wahanol iawn i rieni a
theidiau a neiniau pobl ifanc y Gastetshes. Ar
ôl i Franco ennill y Rhyfel Cartref yn niwedd
y 30au, dim ond iaith a diwylliant Sbaen oedd
i gael eu harddel. Mi fynnodd Franco a'i griw
wahardd pob un o'r ieithoedd eraill, Euskera,
Catalaneg a Galisieg, er mai hogyn o Galisia
oedd Franco ei hun!

Ers y 70au, mae'r Catalaniaid a'r Basgiaid
wedi llwyddo i atgyfodi eu hiaith a'u
strwythurau cenedlaethol ac mae 'na alw mawr
am annibyniaeth ers tro. Dyna beth ydy'r holl
helynt efo ETA a'r bomio a'r protestio. Ond
tybed faint o bobl sydd isio annibyniaeth lwyr
oddi wrth Sbaen mewn gwirionedd?

Roedd Alan wedi trefnu i mi siarad efo criw
o bobl yn nhafarn Arrano, sy'n enwog am
gefnogi'r galw am annibyniaeth. Roedd y lle
dan ei sang pan gerddon ni i mewn, felly mae'n
amlwg ei bod yn dafarn boblogaidd. Roedd 'na
lwyth o bosteri gwleidyddol ar hyd y waliau, yn

tynnu sylw at ryw brotest neu'i gilydd. Roedd hi bron fel mynd 'nôl mewn amser i Gymru'r 60au pan oedd brwydr yr iaith yn ei hanterth. Roedd 'na gymysgedd oed difyr yno hefyd – o'r criw ifanc welson ni yn y Gastetshe i rai tua oed ymddeol a hŷn.

Pan ddechreuon ni recordio, roedd pawb yn amlwg yn dewis eu geiriau'n ofalus iawn, felly dwi ddim yn siŵr faint o'r gwirionedd gawson ni. Dyma beth ddywedodd un hen foi, a'i olwg yn llawer caletach na'i eiriau:

'Beth sy'n bwysig i ni ar y foment ydy ein bod ni'n cael cyfnod o dawelwch er mwyn i'r bobl gael ystyried a meddwl am y dyfodol heb ymyrraeth oddi wrth Sbaen. Os cawn ni hynny, dwi'n credu y bydd y wlad yma'n penderfynu dros annibyniaeth.' Gofalus iawn, a doedd neb yn fodlon deud unrhyw beth cryfach na hynna.

Mi wnes i ddeud bod rhai'n dadlau ein bod ni'n rhy gaeth i'r iaith yng Nghymru. Pa un felly oedd bwysica yn eu barn nhw, annibyniaeth neu barhad yr iaith?

'Dwi'n meddwl bod y ddau beth yn mynd efo'i gilydd,' meddai'r hen foi. 'Os na chawn ni annibyniaeth, dwi'n credu y bydd hi'n anodd iawn i ni gadw ein hiaith. Mae'r iaith yn bwysig iawn gan ei bod hi diffinio'n hunaniaeth ni.

36

Heb yr iaith, chawn ni ddim annibyniaeth, felly mae'r ddau beth wedi eu clymu efo'i gilydd.'

Roedd ein cyfnod ni yng Ngwlad y Basg yn wirioneddol ddiddorol ac yn agoriad llygad go iawn. Maen nhw'n bobl wirioneddol arbennig, a'r iaith yn anhygoel!

Blas ar yr Iaith

Euskera	Cymraeg
Kaixo! (caisho)	Helô
Nor zara zu? (nor sara sw)	Pwy wyt ti?
Ni Bethan naiz (ni Bethan nais)	Bethan ydw i
Eta zu? (eta sw)	A tithau?
Eskerrik asko! (escerig asco)	Diolch
Ez horregatik (es horegatic)	Croeso

A dyma i chi chydig o ramadeg:

Euskera	Cymraeg
ni naiz	rydw i
zu zara	rwyt ti
bera da	mae o/hi
gu gara	rydan ni
zuek zarete	rydach chi
haiek dira	maen nhw

A'r rhifau (Zenbakiak):
1 – *bat*
2 – *bi*
3 – *hiru*
4 – *lau*
5 – *bost*
6 – *sei*
7 – *zazpi*
8 – *zortzi*
9 – *bederatzi*
10 – *hamar*

Ddeudis i ei bod hi'n wahanol, yndô!
Eskerrik asko, pobl Gwlad y Basg – roeddech chi'n ysbrydoliaeth.

LLYDAW

Y Bwyd

Roedd y bwyd yn wych yng Ngwlad y Basg, ond roedd bwyd Llydaw'n ei guro! Fan'no gawson ni'r bwyd gorau o ddigon. Dwi'n eitha siŵr mai yno cewch chi'r bwyd môr gorau yn y byd. *Assiette de fruits de mer* – llond plât o bob math o fwyd môr bendigedig, cregyn glas wedi'u coginio'n syml mewn gwin gwyn, wystrys efo dim mwy na chydig o sudd lemon, *langoustines* a chimwch ffres, pinc, a chig perffaith wyn. A wyddoch chi rywbeth cwbl hurt? Mae cimychiaid o Gymru'n cael eu gyrru i Lydaw 'am nad ydyn ni eisiau eu bwyta'. Be?! Pwy benderfynodd hynny a phryd?

Mae pawb dwi'n ei nabod wedi gwirioni efo cimwch. Ond y gred, mae'n debyg, ydy nad ydyn ni'n hoffi bwyta efo'n dwylo. Wel, mi fydda i wrth fy modd. Torri'r asgwrn a thynnu'r cnawd hyfryd, melys allan. Wedyn, ei fedyddio mewn *mayonnaise* a mwynhau'r gwahanol flasau yn y geg. Oes, mae angen *serviette* a sychu ceg a dwylo fwy nag unwaith, ond diawch, mae hynny'n rhan o'r pleser. Heb sôn am ddefnyddio'r pìn bach gewch chi i dynnu'r cocos o'u cregyn. A'r cyfan yn mynd yn berffaith efo'r bara ffres sydd â chrystyn yn cracio yn y geg.

A dyna i chi'r *crêpes* wedyn. Os nad ydych chi wedi blasu *crêpes* Llydaw (efo powlen o seidr go iawn), dydach chi ddim wedi byw. Maen nhw mor fendigedig o ysgafn – dim byd tebyg i'r pethau toeslyd, tew gewch chi yn y Steddfod! Gallwch gael *crêpes* lliw tywyll hefyd, sef *galettes*. Mae 'na bob math o bethau y gallwch chi ddewis eu rhoi ynddyn nhw: rhywbeth fel *jambon* ac wy wedi'i ffrio, neu fy ffefryn i – caws Gruyère a nionyn. Neu fwyd môr wrth gwrs! Dyna'r pryd cyntaf, ac mi allwch chi gael dau neu dri o rai gwahanol os ydach chi'n llwglyd. Yna fel pwdin, *crêpes* ysgafn eu lliw. Y rhai symlaf yw'r rhai siwgr a lemwn. Blas hyfryd, sur a melys ar yr un pryd. Ond mae darllen y fwydlen yn gallu eich denu i fod yn fwy soffistigedig o lawer. Dwi'n hoff iawn o'r *crêpe au Grand Marnier – liqueur* â blas oren iddo fo. Melfed!

Mi fues i'n byw yn nwyrain Ffrainc ers talwm, a diolch i'r *pâtisserie* anhygoel, ym mhen naw mis ro'n i dair stôn yn drymach! Ond peidiwch â phoeni, fi oedd yn ifanc ac yn wirion. Mae popeth yn iawn os ydach chi'n gymedrol. A phan fyddwch yn Llydaw, mi ddylech chi flasu'r *far breton* a'r *kouign amann,* teisennau sy'n arbennig i Lydaw. Fel ein teisennau traddodiadol ni, cacennau wedi'u gwneud â menyn, blawd ac wyau ydyn nhw ond mae eu blas yn wahanol iawn, yn arbennig y *kouign amann.* Yn fy marn i, mae'r *far breton* braidd yn ddi-flas. Ond rhaid cael blas, achos dyna ydy Llydaw – pob math o flasau a phob math o brofiadau.

Ydw, dwi'n hoffi bwyd ac yn hoffi sgwennu amdano. Ond mae'n bryd sôn am agwedd arall o'r wlad rŵan.

Y Wlad

Ar daith *Y Gwledydd Bychain,* yn Llydaw cawson ni'r tywydd gorau hefyd. Roedd yr awyr wastad yn las a'r haul yn tywynnu. Dyna reswm arall pam bod ymwelwyr yn heidio yno. A rheswm arall eto ydy'r traethau. Mae'r rheiny'n werth eu gweld, yn dywod melyn i gyd, ac weithiau mae'r traeth bron yn wyn. Mae'n lle perffaith i gerdded yn yr haul, i syllu ar y creigiau a'r cregyn. Yna oedi wrth wal yr harbwr bach i edrych ar y cychod gwyn a glas ac ar y pysgotwyr. Yno byddan nhw'n mwynhau cael Gauloise a sgwrs hamddenol wedi diwrnod caled o waith.

Mae'n wlad wirioneddol dlws ac mae mor hawdd peidio â theithio llawer ond yn hytrach aros mewn un ardal. Aros yno a dod i nabod

41

pob twll a chornel o'r lle'n wirioneddol dda. Mynd am dro ac edrych allan ar y môr; sylwi ar y newid, y lliw gwyn ysgafn yn y bore, y glas ar ôl cinio a'r cyfan yn newid eto erbyn diwedd y prynhawn. Crwydro'r strydoedd a sbio ar y tai cerrig hynafol; sbecian mewn ambell siop sy'n gwerthu'r pethau rhyfedda; picio i mewn i gaffi neu dafarn fechan a gwylio'r byd yn mynd heibio dros baned o goffi go iawn neu, gwell fyth, *chocolat chaud.*

Yn agos i Roscoff mae 'na lwybr arbennig iawn, o Perros-Guirec i Ploumanac'h. Maen nhw'n deud mai hwn yw'r llwybr harddaf yn Llydaw. Ewch ar hyd-ddo a gweld sut mae'r tywydd dros ganrifoedd a chanrifoedd wedi creu ffurfiau anhygoel yn y graig binc. Enw un o'r siapiau yw'r Droed Fawr, un arall yw'r Gadair Freichiau ac mae un arall ar ffurf Het Napoleon! Ond i rai, y pleser mwya ydy edrych allan ar yr ynysoedd bach yn y môr, a gweld llong Brittany Ferries yn hwylio tua Roscoff.

Alla i ddim edrych ar yr enw Ploumanac'h heb weld y Gymraeg, sef plwyf mynach. Mae'r Llydaweg a'r Gymraeg mor agos â hynny – weithiau. Dyna i chi'r enw Pont Aven, lle'r aeth Gauguin am gyfnod, ac yno bu'n peintio pobl y dref. Mae ei baentiadau'n dangos i ni heddiw sut roedden nhw'n edrych ganrif a mwy yn ôl.

Pont ac yna afon – geiriau Cymraeg eto.

Mae Llydaw'n lle braf iawn i fyw ac i weithio ynddo, yn gneud yn dda iawn yn ariannol gan ddibynnu llawer ar amaethyddiaeth. Ond tan yn ddiweddar, roedd hi'n wlad dlawd iawn. Mor dlawd, nes bod dynion oedd yn byw wrth ymyl porthladd Roscoff yn dod i Gymru i werthu eu nionod, neu 'winwns' os ydach chi'n dod o'r de. A dyna pam gawson nhw eu galw yn Sioni Winwns.

Mi fydden nhw'n cario rhaffau o nionod ar far eu beiciau, ac yn llwyddo i gyrraedd pob cwr o Gymru. Roedd hi'n olygfa eitha cyffredin i weld dyn mewn beret du'n sefyll ar sgwâr y pentref ac yn gwerthu'r rhaffau o nionod caled, blasus. Ambell un hyd yn oed wedi dysgu siarad ychydig o Gymraeg. Roedd o'n waith caled a diflas ond roedd yn rhaid ennill pres rywsut. A chredwch chi byth, ond roedd 'na un ar sgwâr Dolgellau un diwrnod yn ystod haf 2007! Roedd ei nionod o'n goblyn o ddrud, ond ew, roedden nhw'n rhai da.

Yn wahanol i ffermwyr Cymru, gwelodd ffermwyr Llydaw dros hanner canrif yn ôl fod yn rhaid iddyn nhw gydweithio er mwyn cael pris teg am eu cnydau. Mae'n debyg nad oedden nhw'n cael y nesa peth i ddim am eu blodfresych nac am eu *artichokes*. Eto i gyd, roedden nhw'n cael eu gwerthu am brisiau da yn y trefi mawr yn Ffrainc ac yn Lloegr.

Sut oedd posib newid hyn? Wel, daeth criw o ardal Roscoff at ei gilydd, llogi llong a mynd â'u llysiau i drefi mawr Lloegr. Roedd y prisiau gawson nhw'n llawer iawn gwell. A dyna chi ddechrau'r cwmni mawr sydd mor llwyddiannus heddiw – Brittany Ferries.

Mae'r cydweithio yma wedi datblygu erbyn hyn ac yn digwydd yn gyson – gwerthu a marchnata gwin, gwerthu dillad i bysgotwyr ac yn y blaen. Gallwn ni weld y cyfan wrth fynd yn y car ar hyd ffordd fawr gogledd Llydaw heibio St Brieuc a draw i Brest. Mae 'na stadau o ffatrïoedd mawr ym mhobman, lle maen nhw'n prosesu llaeth, menyn a bwyd ar gyfer anifeiliaid. Mae 'na ffatrïoedd *hi-tech* hefyd. Felly, rhwng pob dim mae 'na ddigon o waith i bobl Llydaw. Byddai Adran Gynllunio Gwynedd yn cael ffit wrth weld yr holl ffatrïoedd 'ma yng nghefn gwlad Cymru.

Yr Iaith

Dydy deall Llydaweg pan mae pobl yn ei siarad hi ddim yn hawdd. Mae'r *Rough Guide* yn deud bod pobl sy'n siarad Cymraeg neu Aeleg yn siŵr o ddeall Llydaweg. Lol botes! Ydy Sais yn deall Almaeneg heb ddysgu'r iaith? Ydy Ffrancwr yn deall Eidaleg? Nac ydy siŵr. Mae angen tipyn mwy o ymdrech. Un tro, aeth cyfaill i mi i mewn i siop yn Lanion, tref yn agos i Ploumanac'h. Anghofiodd beth oedd hi eisiau. Yr hyn wnaeth hi oedd gwrando ar sgwrs y ddwy wraig y tu ôl i'r cownter. Oedden nhw'n siarad Ffrangeg neu Lydaweg? Hwrê! Llydaweg. Aeth atyn nhw a gofyn iddyn nhw ddeud rhywbeth yn Llydaweg wrthi. Siom. Doedd hi'n deall 'run gair. Ond pan ddwedon nhw'r frawddeg yn Ffrangeg roedd hi'n hawdd iawn iddi allu gweld y Gymraeg yn y Llydaweg.

Dyma eiriau sy'n debyg yn y ddwy iaith:

oan	oen
pesk	pysgod
azen	asyn
heol	haul
yar	iâr
naur	neidr
delienn	deilen
march	ceffyl – ia, ond march hefyd, yndê?

45

Mae'n siŵr fod cant a mil o eiriau eraill tebyg. Ond mae'r acen Lydewig yn gwneud i'r iaith swnio'n wahanol. Ac fe welwch chi fod y llythrennau 'k', 'v' a 'z' i'w cael yn y Llydaweg, llythrennau sydd ddim i'w cael yn y Gymraeg o gwbl. Lliwiau baner Llydaw ydy *gwen-ha-du*. A *BREIZH* ydy Llydaw iddyn nhw, yr un gair â BRO i ni. Felly rydyn ni'n perthyn yn agos: '*Nos cousins Breton!*' A phan ddywedwch chi hynna, mae pob Llydawr yn gwenu ac yn cytuno. Mae'n bosib y dywedith o '*Breizh atao*' – Llydaw am byth. A chofiwch, pan mae o'n canu ei anthem genedlaethol, mae'r diwn yr un fath yn union. Mae miwsig James James, Pontypridd, wedi croesi'r sianel yn llwyddiannus y tro yma.

Ond pa mor gryf ydy'r iaith Lydaweg? Wel, mae arna i ofn nad ydy sefyllfa'r iaith mor llewyrchus. A deud y gwir, mae'n bell o fod felly. Un rheswm am hyn yw nad ydy llywodraeth Ffrainc yn derbyn unrhyw iaith ar wahân i'r Ffrangeg. Un wlad, un iaith, medden nhw. Felly, yn '*la constitution*', dydy'r iaith Lydaweg ddim yn bod yn swyddogol. Does 'na ddim hyd yn oed ffigyrau i ddeud faint o bobl sy'n siarad Llydaweg! Maen nhw'n gwrthod yn lân â chynnwys cwestiwn yn y cyfrifiad yn holi faint sy'n gallu siarad yr iaith.

Yn 1930 roedd tua 1.3 miliwn yn ei siarad

hi. Yn 1995, roedden nhw'n meddwl mai rhyw 300,000 allan o 2,979,000 o bobl oedd yn gallu'r iaith. Maen nhw'n meddwl mai rhyw 250,000 sy'n ei siarad ar hyn o bryd, ond mae 'na 10,000 o'r hen bobl yn mynd â'r iaith efo nhw i'w beddau bob blwyddyn.

Blwyddyn	Niferoedd yn siarad Llydaweg
1930	1,300,000
1995	300,000
2007	250,000

Rŵan, dyma fwy o flas o'r iaith Lydaweg i chi. Mae'n perthyn yn agos i'r Gymraeg a'r Gernyweg, ac fel rydych chi wedi gweld yn barod, mae 'na rai geiriau sy'n debyg iawn, iawn, a rhai sy'n gwbl wahanol.

Cymraeg	Llydaweg
Da	*Vat*
Croeso	*Degemer mat*
Bore da /pnawn da	*Demat*
Noswaith dda	*Nozvezh vat*
Nos da	*Noz vat*
Hwyl fawr	*Kenavo* neu *Ken a vo gwelet*
Iechyd da! (wrth yfed)	*Yec'hed mat!*
Diolch	*Trugarez* (trugaredd yn Gymraeg)
Dwi'n dy garu di	*Me az kar*
Nadolig Llawen	*Nedeleg laouen*
Blwyddyn Newydd Dda	*Bloavezh mat*
Cymru	*Bro-Gembre*
Cymraeg	*Kembraeg*
Cymro	*Kembread*
Llydaw	*Breizh*
Llydaweg	*Brezhoneg*

Yr Ysgolion

Iawn, mae 'na ysgolion uniaith Llydaweg yn bod ers 1977 – ysgolion Diwan, ond rhai preifat ydyn nhw, lle mae plant yn aros yno dros nos, a does 'na ddim llawer ohonyn nhw. Yn y gorllewin maen nhw gan mwyaf, yn ardal Brest a Carnac, ysgolion bach sy'n cael rhywfaint o sylw yn y wasg rŵan ac yn y man. Yna, dim o gwbl.

Mae 'na dipyn o blant yn dysgu'r iaith mewn ysgolion dwyieithog hefyd bellach. Ond rhyw 11,000 ydy hynny i gyd, yn cyfri plant cynradd ac uwchradd. A dim ond y plant (neu'r rhieni) sy'n dewis dysgu'r iaith ydy'r rheiny. Ac mae 'na sôn bod y gwersi mewn rhai ysgolion yn cael eu cynnal ar ôl ysgol. Wel, chwarae teg, pwy sydd eisiau aros yn y dosbarth yn yr ysgol pan allen nhw fod allan yn chwarae yn yr haul?

Mae 'na oedolion yn dysgu Llydaweg mewn gwersi nos hefyd, oes, ond dydy'r niferoedd ddim yn fawr. Does 'na ddim llawer o adnoddau i'w helpu nhw. A hynny er gwaetha arolwg 1997 gan y papur newydd *Le Télégramme* a'r sianel deledu France 3. Roedd 88% am weld yr iaith yn para a 80% o blaid ei dysgu mewn ysgolion.

Y Cyfryngau

Mi ges i goblyn o sioc o glywed mai dim ond rhyw hanner awr yma ac acw sydd ar y radio, a llai fyth ar y teledu. Yn ôl y ffigyrau ges i, doedd TV Breizh ond yn darlledu pum awr yr wythnos er eu bod nhw'n darlledu ugain awr o raglenni yn y Llydaweg 'nôl yn 2000. Dim ond 65 awr o raglenni y flwyddyn mae France 3 Ouest yn eu darlledu mewn Llydaweg. Ia, y flwyddyn!

Reit ta, yn ôl fy syms i, 365 diwrnod y flwyddyn x 24 awr = 8,760 awr mewn blwyddyn. Sawl awr o raglenni Llydaweg sydd mewn blwyddyn? Yn ôl fy nghyfrifiannell i, dim ond 325 awr. 'Dydy o ddim yn llawer, nac'di! Dim rhyfedd 'mod i wedi methu dod o hyd i unrhyw raglen mewn Llydaweg ar y teledu tra bues i yno. Ond o leia mae'r mymryn maen nhw'n ei ddangos rŵan yn well na'r 60 eiliad (ia, eiliad!) oedd 'na yn 1970.

Chlywes i ddim gair o Lydaweg ar y radio yn y car chwaith, er i mi daro pob botwm posib. Ond yn ôl y sôn, mae Radio France Ouest/Radio Breizh Izel yn darlledu 14 awr yr wythnos o Lydaweg i orllewin Llydaw. Bydd Radio Kreiz Breizh hefyd yn darlledu am 24 awr y dydd, yng nghanolbarth Llydaw yn bennaf. Bydd yr orsaf yn ddefnyddio Llydaweg a Ffrangeg, er dwi ddim yn gwybod faint o raglenni sydd mewn Llydaweg. Ychydig iawn, beryg. Gorsaf ddarlledu breifat ydy hi sy'n cael ei rhedeg gan gymdeithas na fydd yn gwneud unrhyw elw.

Dim ond ar ôl gweld be sy'n digwydd, neu ddim yn digwydd yn hytrach, yn Llydaw y gwnes i sylweddoli pa mor lwcus ydan ni yng Nghymru. Dwi'n gallu deffro bob bore drwy gyfrwng y Gymraeg a hynny dim ond wrth bwyso botwm y radio. A dwi'n gallu mynd i gysgu yn sŵn y Gymraeg – os bydda i'n mynd i 'ngwely'n ddigon cynnar. Eto i gyd roedd 'na wasanaeth 24 awr yng Ngwlad y Basg... o ie, a hyd yn oed sianel ar wahân ar gyfer pobl ifanc.

Roeddwn i isio prynu CDs yn yr iaith Lydaweg, ond allwch chi ddim disgwyl eu prynu yn rhywle-rhywle. Mae siopau sy'n gwerthu CDs yn yr iaith Lydaweg a phethau Llydewig yn brin. Mae 'na bapur wythnosol wyth tudalen a chylchgrawn misol, ac ambell gyhoeddiad llenyddol, ond dim ond rhwng 400 a 600 o bobl sy'n eu prynu. Mae'r golygyddion Cymraeg yn siŵr o fod yn hynod genfigennus o'r golygyddion yng Ngwlad y Basg, ond diolchwch nad ydych chi'n byw yn Llydaw, gyfeillion.

Y Diwylliant Gwerin

Eto i gyd, mae'r diwylliant gwerin yn fyw iawn yn Llydaw. Rhaid mynd i Kemper ddiwedd

Gorffennaf, i'r Fête de Cornouaille (Cymer ydy Kemper yn Gymraeg). Mae hon yn dref lle rydych chi wir yn teimlo eich bod yn Llydaw go iawn. Bydd grwpiau *folklorique* yn dod at ei gilydd yno i ganu, dawnsio a chymdeithasu. Sŵn y *biniou* fyddwch chi'n ei glywed, sŵn tebyg i'r *bagpipes*, a hefyd sŵn ffliwt, neu'r *bombarde*.

Dynion sy'n chwarae yn y bandiau gan amlaf, a phawb yn eu gwisgoedd traddodiadol. Fel pobl Gwlad y Basg, mae'r Llydawyr hefyd wrth eu bodd yn gorymdeithio ar ddiwrnod gŵyl. Mae'r strydoedd yn orlawn, a dim traffig wrth gwrs. Bydd y dawnsio a sŵn y *biniou* a'r bombarde yn para trwy'r dydd ac ymlaen yn hir i'r nos. Bydd paratoi mawr at y Fest Noz. Fyddan nhw ddim yn gwisgo'u gwisgoedd traddodiadol bob tro, ond rhaid mynd â chlocsiau. Ydyn, mae'r clocsiau'n bwysig iawn a hynny er mwyn mwynhau gwneud sŵn â'u pedolau. Bydd y Chouchen mae Meic Stevens yn canu amdano ar y Rue St Michel yn llifo, a hwnnw a'r clocsiau sy'n gyfrifol am y sŵn yn atseinio ar gerrig strydoedd culion y dref.

Mae gŵyl Lorient hefyd wedi tyfu a thyfu. Wythnos gyntaf Awst yw'r wythnos i ymweld â Lorient. Ac i ni'r Cymry, mae hynny'n broblem. Dyna pryd mae'r Steddfod Genedlaethol! Ond mae sawl côr mawr o Gymru wedi perfformio yno, a grwpiau fel Ar Log. Nid gŵyl draddodiadol mo hon, ond gŵyl roc, pop, a gwerin. Dwi rioed wedi bod yno fy hun, ond yn gobeithio ei chyrraedd ryw dro, cyn i mi fynd yn rhy hen!

Y Llydawyr

Mae'r Llydawyr yn bobl hapus braf ac yn falch o gael byw yn Llydaw. Dwi ddim yn eu beio nhw – mae'n wlad fendigedig: tywydd da, arfordir sydd yn hynod o brydferth ac wrth gwrs, bwyd ffantastig. A doedd neb siaradais i efo nhw'n dal dig tuag at Ffrainc na'r Ffrancwyr. Eu bai nhw eu hunain oedd hi fod yr iaith yn diflannu, medden nhw, ac roedden nhw fel tasen nhw wedi derbyn hynny. Ond eto, ychydig iawn oedd yn meddwl y byddai'r Llydaweg yn diflannu'n llwyr. 'Efallai ei bod hi wedi diflannu fel iaith gyhoeddus,' medden nhw, 'ond mi fydd 'na grwpiau bychain fel ni'n dal i'w siarad hi efo'n gilydd am flynyddoedd.'

Allwch chi ddychmygu hynna'n digwydd yng Nghymru? Wel, mae'n digwydd yn barod mewn rhai rhannau o'r wlad, yn tydy? Ac os na fyddwn ni'n ofalus mi fydd yn digwydd fwy a mwy. Os oedd Gwlad y Basg wedi dangos i mi be sy'n bosib drwy fod yn bositif, yna roedd Llydaw yn dangos be allai ddigwydd os byddwn ni'n eistedd ar ein tinau yn gwneud dim. A sut mae iaith yn marw? Pan nad ydy hi'n cael ei throsglwyddo'n naturiol o genhedlaeth i genhedlaeth.

Ar hyn o bryd yng Nghymru mi fedra i fynd i siopa yn Nolgellau gan wybod y bydda i'n siŵr o glywed y Gymraeg, yn siŵr o gael sgwrs yn fy iaith fy hun efo rhywun. Dydy hynny ddim yn wir am bob tre yng Nghymru, nac'di, ond mae'n wir mewn ugeiniau o drefi Cymru. Mae gynnon ni ein cadarnleoedd, fel Caernarfon, Blaenau Ffestiniog, Y Bala a Thregaron. Ond does gan Lydaw mo'r ffasiwn beth. Does 'na ddim un dre lle mae'r Llydaweg i'w chlywed yn amlwg ar y strydoedd bellach.

Mae unrhyw un sydd isio siarad Llydaweg yn gorfod chwilio am aelodau o'i deulu neu ddod o hyd i ffrindiau sy'n digwydd gallu siarad yr iaith – neu fynd at ei nain.

Mi gawson ni swper mewn un hen dŷ lle roedd teulu o bedair cenhedlaeth yn byw. Yno roedd môr o Lydaweg bywiog, rhywiog – yn ôl Diarmuid Johnson, y cyfieithydd. Doedd gen i ddim syniad sut siâp oedd ar eu Llydaweg, nagoedd? Roedd hyd yn oed y ci'n siarad Llydaweg, neu o leiaf yn ei deall, meddai Diarmuid. Ac roedden nhw'n gymeriadau a hanner. Roedd y tad, sy'n ennill ei fywoliaeth drwy drwsio toeau, yn edrych ac yn ymddwyn yn union fel Ffarmwr Ffowc. Ond doedd yr wyres fach ddim yn gallu siarad yr iaith – heblaw am allu cyfri hyd at ddeg – jest abowt:

un	*unan*
dau	*daou*
dwy	*div*
tri	*tri*
tair	*teir*
pedwar	*pevar*
pedair	*peder*
pump	*pemp*
chwech	*c'hwec'h*
saith	*seizh*
wyth	*eizh*
naw	*nav*
deg	*dek*

Fyddai'r mab, sydd yn ei 30au, ddim yn gallu siarad yr iaith oni bai iddo fynnu dysgu'r iaith gan ei nain. Roedd ei fam, fel sawl mam arall, wedi penderfynu magu ei phlant drwy'r iaith Ffrangeg am ei bod hi wedi cael amser anodd iawn yn yr ysgol oherwydd ei bod hi'n siarad Llydaweg. Rhwng 1880 a 1951, roedd ganddyn nhw rywbeth tebyg i'n *Welsh Not* ni. Yn Llydaw mi weithiodd yn arbennig o effeithiol, mae'n amlwg. Byddai plant yn cael eu cosbi pe baen nhw'n cael eu dal yn siarad Llydaweg. Hyd heddiw, mae rhai o'r hen bobl aeth drwy hynny'n dal i deimlo'r boen a'r gwarth.

'Nôl yn 1925, mi ddywedodd Anatole de Monzie, gweinidog addysg Ffrainc ar y pryd: *'Pour l'unité linguistique de la France, la langue bretonne doit disparaître!'* (Er mwyn bod pawb yn Ffrainc yn siarad yr un iaith, rhaid i'r Llydaweg ddiflannu.) Dyna oedd Franco'n ei gredu yn Sbaen hefyd, a'r Rwsiaid, a'r Saeson.

Roedd y Ffrancwyr yn tueddu i wneud hwyl am ben y Llydawyr. Y gair Ffrangeg am siarad nonsens ydy *baragwiner*. Hynny yw, 'Rwyt ti'n deud geiriau fel "bara" a "gwin" a dwi ddim yn dy ddeall di.' Y ffordd o ddeud hyn yn Saesneg ydy, *'You're talking double dutch.'* Ac rydan ni'n cofio'r amser pan oedd pobl yn gwneud hwyl am ben y Gwyddelod 'dwl'. Ond sbiwch sut mae'r Gwyddelod wedi dod ymlaen yn y byd erbyn heddiw... ond stori arall ydy honno.

Mi ddywedodd Fran May stori drist iawn wrtha i. Cymraes o Hwlffordd sydd wedi setlo yn Llydaw ers y 1990au ydy Fran. Mae hi wedi priodi Ffrancwr ac yn gweithio mewn ysgol Diwan. Pan oedd hi ar fferi'r Brittany Ferries ryw dro, mi brynodd botel o whisgi yn y siop *duty-free* a sgwennu'r siec yn Llydaweg. Ond mi ddaeth un o swyddogion y llong ati a rhwygo'i siec o flaen pawb. 'Fferi rhwng Lloegr a *Ffrainc* ydy hon,' meddai, 'a dydyn ni ddim yn derbyn eithafwyr!'

Allwn i ddim credu fy nghlustiau. 'Ond busnes a gafodd ei sefydlu gan ffermwyr Llydaw ac nid ffermwyr Ffrainc ydy Brittany Ferries!' meddwn innau. 'Ie, wel,' meddai Fran, 'yn fy marn i, y Llydawyr eu hunain sydd fwya yn erbyn yr iaith Lydaweg.' Fel'na oedd hi yng Nghymru hefyd tan yn ddiweddar, erbyn cofio. Dwi'n cofio Gerallt Lloyd Owen yn sgwennu cerdd am gael trafferthion mawr yn trio talu efo siec Gymraeg yn Llandudno...

Dwi ddim isio rhoi'r argraff fod y Llydawyr i gyd yn eistedd yn ôl ac yn derbyn bod yr iaith Lydaweg yn mynd i farw. Mae 'na unigolion a mudiadau sy'n gweithio'n wirioneddol galed dros yr iaith, fel Goulc'hann Kervella. Seiciatrydd oedd o nes iddo benderfynu newid ei fyd ac ysgrifennu a chynhyrchu dramâu, a bod yn actor. Wnath o ddim deud faint o gyflog roedd o'n ei ennill, ond mae synnwyr cyffredin yn deud ei fod o'n cael llawer llai o bres rŵan na phan oedd o'n seiciatrydd.

Bydd ei ddramâu yn yr iaith Lydaweg yn cael eu perfformio'n gyson ar hyd y wlad ac mae'n cynnal gweithdai ar gyfer plant a phobl ifanc. Yn aml iawn, dyna'r unig siawns sydd gan rai i weithio, siarad a chymdeithasu'n naturiol mewn Llydaweg y tu allan i'r ysgol. Mi welais i un o'r ymarferion, ac roedd y safon yn uchel; yr union beth sydd ei angen i blesio pawb o bob oed. Mi fyddwn i wedi bod wrth fy modd yn cael gweld perfformiad o flaen cynulleidfa.

Mae o wedi sgrifennu nofelau hefyd. 'Ond does dim llawer o'r bobl hŷn yn gallu darllen yr iaith,' meddai Goulc'hann. 'Felly dydy'r nofelau ddim yn llwyddo cystal â'r dramâu.'

Rhywbeth diddorol iawn ddywedodd o oedd hyn: pan oedd o'n gweithio fel seiciatrydd, mi sylwodd fod 'na ganran uchel iawn iawn o hen bobl oedd yn gallu siarad Llydaweg yn diodde o salwch meddwl. Roedd o'n siŵr eu bod nhw'n sâl am eu bod nhw methu â byw drwy gyfrwng eu hiaith eu hunain yn eu gwlad eu hunain. A wyddoch chi be? Mi wnes i sylwi ar batrwm tebyg wrth i mi deithio'r byd yn paratoi'r rhaglen deledu *Ar y Lein*. Ar Ynysoedd Aleutia yn Alaska, er enghraifft. America sy'n rheoli Alaska bellach. Roedd yr Americanwyr wedi mynnu bod yr Indiaid yn Aleutia yn anghofio am eu hiaith a'u traddodiadau eu hunain a dod yn 'Americanwyr go iawn'. Oherwydd hynny, roedden nhw wedi bod yn dioddef o iselder ysbryd ac alcoholiaeth a phob math o broblemau. Ond wedi iddyn nhw ddechrau atgyfodi'r hen arferion a theimlo'n falch o'u hanes a phwy oedden nhw, roedd llawer llai o iselder ysbryd o fewn y gymdeithas. Wel, mae hynna'n profi rhywbeth, yn tydy! Ac yn egluro pam fod cymaint o alcoholiaeth a phroblemau cyffuriau ar y *reservations* yn America a Chanada. Ond yn ôl at Lydaw – yn y bôn, pobl fel Goulc'hann sy'n cadw'r iaith Lydaweg yn fyw. A dramodydd oedd Saunders Lewis hefyd, erbyn meddwl. Mi stwffiodd o gloc larwm i mewn i'n clustiau ni'r Cymry a'n deffro ni jest mewn pryd. Dyma gwestiwn i chi. Sut stad fyddai ar yr iaith oni bai am Saunders Lewis? Fyddai'r Gymraeg yn yr un stad â'r iaith Lydaweg?

Dwi ddim isio gweld fy hun yn yr un sefyllfa ag 'Anti Mair', Cymraes o Ddolgellau sydd yn 99 oed. Mae hi'n byw mewn *sheltered housing* yn y dre lle nad oes neb arall yn siarad Cymraeg. Iawn, mi fyddech chi'n disgwyl hynny tase hi wedi dewis symud i rywle fel Rhyl neu Bontypridd – ond nid yng nghanol Meirionnydd! Mae'r peth yn warth. Fe ddylai fod gynnon ni i gyd yr hawl i fyw ein bywydau drwy gyfrwng y Gymraeg o'r dechrau i'r diwedd.

NORWY

Y Wlad

Roedd pobl yn methu deall be roedd Norwy'n ei wneud mewn cyfres o'r enw *Y Gwledydd Bychain*. Digon teg, mae hi'n wlad fawr – anferthol, a deud y gwir. Mae'n 385,155 km² i gyd, mwy na'r Almaen, ac mae'r arfordir yn ymestyn dros 2,500 km. Maen nhw'n deud tasech chi'n rhoi pìn ar waelod Norwy a throi pen ucha'r wlad am i lawr, mi fyddai'n cyrraedd Rhufain! Felly na, dydy hi ddim yn wlad fach o bell ffordd. Ond mae'r boblogaeth yn fychan, dach chi'n gweld: rhyw 4 miliwn a hanner sy'n byw yno, llai na'r Alban o dipyn. Wedyn, o ran maint ei phoblogaeth, tydy hi ddim yn llawer mwy na ni yng Nghymru efo'n 3 miliwn bach taclus. A dyna pam aethon ni yno, i weld sut mae gwlad efo cyn lleied o bobl yn gallu cyfri ei hun fel un o wledydd cyfoethoca'r byd.

Na, wyddwn i mo hynny chwaith, ond wir i chi, mae Norwy'n drewi o bres. A be sy'n dod â'r holl bres i mewn i'r wlad? Olew a choed. Mi ges i sioc o ddeall hyn, ond dim ond dwy

60

wlad sy'n allforio mwy o olew na Norwy, sef Saudi Arabia a Rwsia. Mae hynna'n lot fawr o olew. Sgwn i oes 'na olew ym Mae Ceredigion? Meddyliwch y gwahaniaeth fyddai hynna'n ei wneud i ni yng Nghymru! Mae gynnon ni goed yng Nghymru wrth gwrs, ond chydig iawn o'i gymharu â Norwy.

Dim ond yn 1905 y cafodd Norwy ei hannibyniaeth; Sweden oedd yn ei rheoli tan hynny, wel, ar ôl 434 o flynyddoedd o dan fawd Denmarc. Dim rhyfedd felly fod y tair iaith – Swedeg, Norwyeg a Daneg – yn debyg iawn i'w gilydd.

Dyma i chi sut i ddeud 'Dwi'n dod o Norwy':

mewn Norwyeg:	*Jeg kommer fra Norge*
mewn Swedeg:	*Jag kommer från Norge*
mewn Daneg:	*Jeg kommer fra Norge.*

Yr Iaith

Ddeudis i eu bod nhw'n debyg, yn do? Mae pobl y gwledydd Sgandinafaidd yn gallu deall ei gilydd yn iawn drwy ddefnyddio eu hieithoedd ei gilydd. Ond mae 'na gymhlethdod – mae dau fath o Norwyeg, sef Bokmål (yn llythrennol: 'iaith llyfr') a Nynorsk ('Norwyeg newydd'). Dach chi'n gweld, rhwng y 16eg a'r 19eg ganrif, roedd pobl Norwy yn gorfod sgwennu yn yr iaith Ddaneg, felly bu tipyn o ffraeo a checru ynglŷn â sefydlu'r iaith Norwyeg fel iaith ysgrifenedig. Yn fras, math o Ddaneg wedi ei dylanwadu gan y Norwyeg ydy Bokmål. Mae Nynorsk, ar y llaw arall, wedi'i seilio ar y Norwyeg sy'n cael ei siarad mewn gwahanol ardaloedd yn y wlad. Erbyn heddiw, mae pawb yn dysgu'r ddwy ffurf, ond Bokmål sy'n bendant yn ennill y dydd – yn ysgrifenedig o leia. Yn ôl ffigyrau pôl piniwn a wnaed yn 2005, mae 86.3% yn dewis sgwennu Bokmål yn eu bywydau bob dydd, 5.5% yn defnyddio'r ddwy ffurf a 7.5% yn dewis Nynorsk.

Ond Nynorsk mae'r rhan fwya'n ei siarad, mae'n debyg, er ei bod yn dibynnu lle dach chi'n byw. Iaith y dre ydy Bokmål ar y cyfan, tra bod pobl cefn gwlad yn siarad Nynorsk, yn enwedig yn y gorllewin.

Mae'r radio a'r teledu'n darlledu yn y ddwy iaith ac mae dogfennau swyddogol y llywodraeth i fod i gefnogi'r ddwy iaith hefyd. Ond mae'r rhan fwya o lyfrau a chylchgronau mewn Bokmål, a thua 86% o blant ysgolion cynradd yn derbyn eu haddysg drwy gyfrwng y ffurf honno ar yr iaith hefyd. Pan maen nhw'n hŷn, maen nhw'n gorfod dysgu Nynorsk hefyd. Ydi, mae hi'n gymhleth! Ac i gymhlethu pethau'n fwy, mae 'na laweroedd o dafodieithoedd gwahanol o fewn y wlad. Mae gan y bobl Sami eu hiaith eu hunain hefyd, mwy nag un eto, a deud y gwir... Mewn chwe sir mae honno yn iaith swyddogol ar y cyd efo'r ddwy iaith Norwyeg.

Gan mai sefyllfa'r ieithoedd sydd dan sylw gynnon ni yn y gyfrol hon, y cwestiwn pwysig sydd angen i ni ei ofyn yw – ydy'r ddwy iaith Norwyeg mewn peryg? Ddim o gwbl ydy ateb pawb. Ond dwi ddim mor siŵr. Ro'n i'n gweld fod Saesneg yn treiddio i mewn i bob man ac i bob dim – yn Oslo o leia, a dwi'n gobeithio nad ydyn nhw'n rhy esgeulus o'u hiaith. Roedd pawb yn gallu siarad Saesneg i ryw raddau, ac roedd enwau'r siopau hyd yn oed yn aml yn Saesneg. Cefais fy synnu hefyd o weld bod labeli'r bwydydd yn y gwesty – nid yn ddwyieithog, ond yn Saesneg yn unig. Efallai mai gneud bywyd yn haws i ymwelwyr ydy'r bwriad, ond dwn i'm.

Po fwya dwi'n teithio ar hyd a lled y byd, y mwya i gyd dwi'n sylwi fod Saesneg yn treiddio i mewn o ddifri i fywyd y bobl. Efallai na fydd ieithoedd fel Norwyeg yn diflannu'n llwyr, ond ymhen rhyw gan mlynedd, dau gant efallai, pwy a ŵyr be fydd wedi digwydd? O leia mae ieithoedd fel y Gymraeg a'r Euskera yn gwybod eu bod nhw mewn peryg ac o'r herwydd yn brwydro yn erbyn y lli. Ryẁsut dwi'n gweld pobl yn y gwledydd Sgandinafaidd a'r Iseldiroedd ac ati yn cymryd yn ganiataol nad oes perygl i'w hieithoedd. Yn bersonol, mae gen i ofn y bydd Saesneg wedi llyncu'r byd bron yn llwyr cyn bo hir. Gobeithio 'mod i'n anghywir, ond fel'na dwi'n ei gweld hi – a'i chlywed hi.

Eto i gyd, mae gan Norwy system o ddysgu Norwyeg i bawb sy'n dewis symud i fyw yno – ac mae 'na fwy a mwy o bobl o wledydd tramor yn dewis symud i fyw i wlad mor gyfoethog. A gesiwch be – roedd pob un o'r Cymry alltud a gwrddais i yn Norwy wedi neu wrthi'n dysgu Norwyeg. Ond yn gyffredinol doedd y mewnfudwyr o Loegr ddim yn gweld pwrpas ei dysgu gan fod cymaint yn gallu defnyddio'r iaith Saesneg. Dwi'n deud dim...

Merched

Be drawodd fi fwya am Norwy oedd y ffordd maen nhw'n trin merched: dydyn nhw ddim yn trin merched yn wahanol i unrhyw un arall. Hynny yw, dydyn nhw ddim yn rhoi pwysau ar y ferch i fod yn ferchetaidd nac ar y bachgen i fod yn *macho*. 'Dydan ninna ddim chwaith!' Fe'ch clywaf chi'n protestio'n syth. Hy. Isio bet? Dwi'n gwybod bod pethau wedi gwella ers y 60au, ond mae pobl yn dal i feddwl bod merched sy'n mwynhau chwarae rygbi neu bêl-droed yn gorfod bod yn hoyw a bod yn rhaid prynu dillad glas i fabis bach sy'n fechgyn a phinc i ferched. Mae merched yn dal i gael eu hannog i fynd am swyddi 'merchetaidd' fel dysgu a PR, a bechgyn yn cael eu hannog i fod yn beirianwyr neu fecanics. Ac os ydy bachgen isio trin gwallt, wel, mae'n amlwg ei fod o'n hoyw wrth gwrs!

Weithiau, mae'n rhaid i rywun o'r tu allan dynnu ein sylw at yr hyn rydan ni'n ei gymryd yn ganiataol. Hogan o Norwy, Eli Stamnes, gwraig Richard Wyn Jones (y sylwebydd gwleidyddol o Aberystwyth), soniodd wrtha i am hyn. Pan ddaeth hi i Gymru i weithio – a phriodi, ac mae dau hogyn bach ganddi hi a Richard, mi gafodd ei synnu gan y gwahaniaeth. Roedd ei mab angen clwt arbennig i allu nofio ynddo, felly aethon nhw i siop yn Aberystwyth i brynu clwt. Mi ddewisodd yr hogyn bach un pinc, felly aethon nhw â'r clwt pinc at y cownter. Ond na, doedd dynes y siop ddim yn fodlon gadael i fachgen gael un pinc – un glas ddylai o ei gael! Roedd Eli'n gegrwth.

Fyddai hynna byth yn digwydd yn Norwy, dach chi'n gweld. Os ydy hogyn o Norwy isio gwisgo pinc o'i gorun i'w sawdl, dim problem! Does 'na neb yn mynd i feddwl dim na thynnu sylw at hynny. Does neb yn mynd i amau mai 'rhyw gadi ffan o hogyn' ydy o ac na fydd o'n 'normal'. Ac os ydy hogan yn dipyn o domboi ac isio dringo coed a chwarae pêl-droed yn y llaid efo'r hogia, wel rhwydd hynt iddi wneud hynny. Mi ddywedodd Eli ei bod hi'n falch iawn mai bechgyn mae hi wedi eu cael. Mi fyddai trio magu merch fach yng Nghymru wedi deud ar ei hamynedd hi!

Enghraifft arall i chi o'r hyn sy'n wahanol yn Norwy: yr hyn sydd yn naturiol yng Nghymru ydy bod bechgyn yn hel at ei gilydd yn un gang mawr ac y dylai merched fod yn fwy o ffrindiau efo merched. Ond yn Norwy, does 'na ddim gagendor rhwng bechgyn a merched. Mae merched bach yn ffrindiau gorau efo bechgyn bach, a does 'na ddim o'r busnes, 'Y! Na! Dwi'm isio chwarae efo merched/bechgyn!' Maen nhw'n ffrindiau efo plant sy'n mwynhau'r un math o bethau â nhw. Ac mae'r Norwyaid yn derbyn bod pob unigolyn yn wahanol, ac nad eich rhyw sy'n penderfynu sut berson ydach chi.

Pobl Swil

Mae'n debyg nad yw'r Norwyaid yn galw i weld ei gilydd yn aml iawn. Cnoc ar y drws, ia, ac estyn llaw i roi llwyth o gacennau i rywun sâl, neu ofyn ffafr neu rywbeth, ond fydden nhw byth yn disgwyl i chi eu gwahodd nhw i mewn i'r tŷ, nac yn meddwl am foment y byddech chi'n disgwyl iddyn nhw eich gwadd chi i mewn i'w tŷ nhw chwaith. Mi ges i drafferth dod i arfer efo'r syniad hwnnw, yn enwedig gan fod y Cymry gwrddon ni'n rhoi croeso mawr i ni i mcwn i'w tai nhw   ond Cymry oedden nhw, yndê? Mi gawson ni brawf o'r gnoc a'r cacennau yn nhŷ Rosemary o Dregaron sy'n byw yn Norwy ers 1972 ar ôl syrthio mewn cariad efo'i gŵr a gafodd ei eni yn Norwy. Dydy hi ddim wedi bod yn dda'n ddiweddar, ac mi gafodd lond bag o 'byns' gan y bobl drws nesa fel roedden ni'n cael paned – ond ddaethon nhw ddim i mewn i'w chartref i ddymuno'n dda a chael paned.

Dyna i chi ddynes ddifyr arall, a Chymraeg hyfryd Tregaron yn llifo'n rhugl ohoni. Roedd hi'n gwenu a chwerthin drwy'r amser – nes iddi ddechrau sôn am lyfr o'r enw *Travels in an Old Tongue: Touring the World Speaking Welsh*. Ro'n i'n gyfarwydd â'r llyfr; roedd yr awdures Americanaidd, Pamela Petro, wedi rhyw lun o drio dysgu Cymraeg, yna teithio'r byd yn sgwennu am aelodau gwahanol gymdeithasau Cymry oddi cartref. Doedd o ddim yn llyfr arbennig iawn a do'n i ddim wedi cymryd at ei steil hi am ei bod hi trio'n rhy galed i fod yn ddigri a cheisio gwneud hynny drwy ddeud pethau cas am bawb. Wel, doedd gan Rosemary fawr o feddwl ohoni chwaith. A dwi ddim yn ei beio hi gan fod Rosemary wedi rhoi llety am ddim i'r ddynes 'ma yn Oslo, wedi'i chroesawu i'w chartre, wedi'i bwydo a'i diddanu hi. A'r diolch gafodd hi am wneud hyn oll? Cael ei difrïo mewn print.

Roedd hi'n amlwg fod y llyfr wedi brifo Rosemary'n arw – a brifo ei mam hefyd, felly dyma gyfle i achub ei cham – rwtsh oedd be gafodd ei sgwennu amdani, iawn! Ac os oes rhaid i chi ddarllen y llyfr, peidiwch â'i brynu – ewch i'r llyfrgell yn lle hynny. Neu gellwch brynu copi ail-law. Dydy Ms Petro ddim yn haeddu ceiniog o freindal am ddeud pethau cas am bobl a aeth allan o'u ffordd i fod yn glên wrthi. A wnath hi ddim cyfrannu dimai at ei bwyd na'i llety chwaith!

Ta waeth, mi ddywedodd Rosemary fod pobl Norwy wastad wedi bod yn glên iawn efo hi, ond ei bod hi'n anodd dod i'w nabod nhw'n 'iawn'. Maen nhw'n wahanol iawn i'r Eidalwyr neu'r Sbaenwyr, sy'n ofnadwy o gyfeillgar yn syth bìn ac isio gwybod pob dim amdanoch chi a deud pob dim amdanyn nhw eu hunain. Na, yn ara bach a phob yn dipyn mae dod i nabod y Norwyaid. Ond unwaith y byddan nhw'n eich derbyn chi, rydach chi'n ffrind am oes wedyn.

Cymry Norwy

Mae 'na Gymry ym mhobman dros y byd i gyd a dydy Norwy ddim yn wahanol. A deud y gwir, mae 'na gymdeithas Gymraeg brysur iawn yn Oslo. Cymraes ddi-Gymraeg (ac athrawes *t'ai chi*) o'r enw Pamela Hiley sy'n gadeirydd ar hyn o bryd. Bechod nad ydy hi ddim yn gallu siarad Cymraeg, achos mi fyddai hi wedi gwneud chwip o gyfweliad difyr ar gyfer fy rhaglen radio.

Mae'r un peth yn wir am ein fficsar, David Llewelyn Edwards (Len i'w ffrindiau) o Gwm Nedd. Mi ddaeth i weithio i Norwy a chael gwaith efo cyfrifiaduron 45 mlynedd yn ôl. Wyddwn i ddim fod 'na gyfrifiaduron yn bodoli bryd hynny! Beth bynnag, mae o'n ddyn hynod o annwyl a hynod o ddiddorol ac roedd hi'n bleser cael ei gwmni o. Mi gawson ni bryd o fwyd traddodiadol o'r enw Fårikål ganddo fo – cig oen a bresych efo pupur coch. Mae o'n dysgu Cymraeg (un o'r criw sydd wedi bod ar gyrsiau Wlpan Prifysgol Llanbed) ond ddim yn cael llawer o gyfle i'w hymarfer yn Norwy, wrth reswm. Ond pan fydd o wedi dysgu chydig mwy, mi fyddai o'n chwip o westai i Beti George.

Wedi deud hynny, mi fasech chi'n synnu faint

o Gymry Cymraeg sy'n byw yn Norwy. Fethon ni siarad efo dau neu dri am fod 'na ffliw go gas wedi eu llorio nhw (a doedd gynnon ni fawr o awydd ei gael o chwaith), ond doedd 'na ddim prinder siaradwyr da.

Un a wnaeth osgoi'r ffliw oedd Elwyn Jones o Abersytwyth. Gweithio mewn caffi sy'n gwneud coffi a the go iawn mae o, a hynny wedi blynyddoedd yn cadw tafarndai a bariau yn Llundain a'r Eidal, a chyfnod yng Ngwlad Groeg. Mi briododd â merch o Norwy a chael plentyn, Olivia Catrin, efo hi. Ond pan chwalodd y briodas, mi benderfynodd ei gyn-wraig symud yn ôl i Norwy efo'r ferch fach chwech oed. Mi benderfynodd Elwyn fod ei berthynas efo Olivia Catrin yn rhy werthfawr i'w cholli, felly mi gododd yntau ei bac er mwyn cael bod yn agos ati a'i gweld yn rheolaidd. Dwi ddim yn ei feio fo, mae hi'n hogan fach hyfryd. Ac roedd ei goffi o'n arbennig hefyd. Mae o'n gobeithio agor ei le ei hun yma ryw ben a dwi'n eitha siŵr y bydd o'n llwyddo. Gan fod ei dad a'i fam, Hefin a Beryl Jones, wedi bod yn rhedeg siop gwerthu papurau newydd yn Aberystwyth am gymaint o flynyddoedd, dydy hi ddim yn syndod gweld bod eu mab hefyd am fentro rhedeg ei fusnes ei hun. Mae Elwyn wedi ymgartrefu'n dda iawn yn Norwy ac yn dysgu'r iaith – fel pob Cymro arall welson ni!

Ges i ffit 'mod i'n nabod un arall o'r Gymdeithas Gymraeg yn iawn – Rhys Jones o'r Sarnau, ger y Bala! Ddim yn y Bala y des i i'w nabod, ond yn Brasil, credwch neu beidio! Roedd o'n un o'r criw o hogia oedd wedi mynd yno ar wyliau efo Garmon Emyr 'nôl yn 1991. Ac mi wnes i ymuno efo nhw ar fy ffordd i'r Ariannin i weld fy mrawd. Argol, mi ges i hwyl efo nhw. Roedd dawns y Lambada'n boblogaidd iawn ar y pryd ond sefyll wrth y bar fyddai hogia Cymru. Dydy bechgyn o Gymry ddim yn hoff o ddawnsio – wel, ddim fel'na, ta beth! Ond mi wnes i, nes bod fy nghluniau'n sgrechian. A be dwi'n ei gofio am Rhys ydy ei fod o'n cael trafferth ofnadwy efo'r iaith. Roedd o isio diod o ddŵr ac yn trio gofyn am 'Water! Dŵr! Dŵr-o!' Ac mae'r gair *agua* mor syml...

Ond mae o wedi llwyddo i ddysgu Norwyeg yn dda iawn. Dim syndod, ac yntau wedi priodi merch o Norwy – meddyg sy'n edrych fel model! Ac mae ganddyn nhw fab o'r enw Ilan sy'n siarad y ddwy iaith. Wel, o fath – dim ond 20 mis oed oedd o ar y pryd.

Mae Rhys wedi llwyddo'n dda iawn yn Norwy – ac yng Ngwlad Pwyl. Fan'no mae o'n byw ac yn gweithio yn ystod yr wythnos, gan ddod adre at ei deulu dros y penwythnosau. Wnes i'm dallt yn iawn be ydy ei waith o – ond dyn busnes ydy o efo sawl busnes llwyddiannus, ac roedd o'n berffaith siŵr na fyddai o byth wedi gallu llwyddo cystal tase fo wedi aros yng Nghymru. Dwi wedi clywed hynna sawl gwaith hefyd. Rydan ni'r Cymry'n methu derbyn bod un ohonon ni'n llwyddo, nac 'dan? Mae'r hen glefyd gwyrdd 'na'n sbwylio pob dim. Mae isio gras.

Yr Awyr Agored

Er bod pob dim yn ddrud yn Norwy, mi wnes i fwynhau ein cyfnod yno'n ofnadwy. A deud y gwir, dwi jest â marw isio mynd yn ôl yno. Mae eu ffordd nhw o fyw'n wych, a'r balans rhwng gwaith a hamdden yn berffaith. Does 'na neb yn cael gweithio mwy na 37 awr a hanner yr wythnos, a phan maen nhw wedi gorffen gwaith, maen nhw'n mynd allan i'r awyr agored i sgio neu hwylio neu be bynnag sy'n addas yn ôl y tywydd. Hyd yn oed os ydach chi'n gweithio yn Oslo, mi allwch chi fynd i sgio gyda'r nos am fod y *pistes* wedi eu goleuo ac yn agored tan ddeg o'r gloch.

Mae 'na ddywediad yno: 'Does na'm ffasiwn beth â thywydd gwael, dim ond eich bod yn gwisgo'r dillad anghywir.' Felly, dim bwys be ydy'r tywydd, bydd y plant yn yr ysgol yn cael eu hel allan i chwarae. Ar benwythnosau, does 'na neb yn mynd i rywle fel B&Q, mae'r teulu i gyd yn mynd allan i gerdded neu sglefrio – neu hwylio ar un o'r *fjords* yn yr haf. Felly mae bron pawb yn edrych yn ffit ac yn iach iawn.

Ac yno y ces i'r bwffe gorau erioed! Doedd o ddim yn rhad (tua £25) ond roedd o'n fendigedig, a'r dewis o wahanol bysgod a bara a salad yn hyfryd. Doedd Rhisiart ddim yn cytuno – dydy o ddim yn hoffi pysgod – ond wir rŵan, os ydach chi'n hoffi pysgod, mae bwyd Norwy'n siŵr o'ch plesio. Ro'n i wrth fy modd efo pysgod wedi eu piclo i frecwast hefyd. Ond os ydach chi'n un am eich cwrw, wel... mae peint yn costio bron i £6 yno, felly dydy Oslo ddim yn lle addas ar gyfer nosweithiau i gynnal nosweithiau stag – diolch byth!

Am fod pawb yn siarad Saesneg, neu Gymraeg, ches i fawr o gyfle i ddysgu'r iaith ond dwi'n cofio cymaint â hyn:

ia	*ja* (iâ)
na	*nei* (nai)
croeso	*velkommen* (felcomyn, efo pwyslais ar y 'com')
helô	*hallo* (halô)
ta ta	*ha det* (ha dy)
diolch	*takk* (tac)

73

sorri, dwi'm yn siarad Norwyeg: *beklager, jeg snakker ikke Norsk* (jest dywedwch o'n gyflym!).

A dyna ni, dyna ddiwedd y daith drwy'r *Gwledydd Bychain*. Dim ond blas oedd o. Eto i gyd gobeithio eich bod chi, fel fi, wedi cael digon o flas fel y byddwch am gael mwy. Gobeithio hefyd eich bod wedi cael digon o bynciau i feddwl amdanyn nhw.

Diolch, *eskerrik asko, trugarez a takk*.

MANIFFESTO BETHAN

Wedi teithio'r gwledydd ac o glywed bod y Gwyddelod hyd yn oed yn poeni bellach fod yr iaith Wyddeleg fel iaith fyw yn y gymuned yn marw. Dyma rai o'r pethau dwi'n meddwl sy'n bwysig i Gymru ac i Gymry eu cofio.

- Cariad at yr iaith Gymraeg sy'n bwysig. Nid paldaruo rhyw seicoleg hurt bod dysgu Cymraeg yn mynd i'w gneud hi'n haws i blant gael swydd yn y cyfryngau. Mae hynny'n rheswm ffals iawn ac yn creu atgasedd at yr iaith. Rhaid ei defnyddio am eich bod chi eisiau ei defnyddio – rhaid ei gwneud yn hwyl!

- Trio peidio meddwl bod 'angen arian cyhoeddus' ar gyfer pob peth. Trio gwneud i bethau dalu drostyn nhw eu hunain. Neu rydan ni'n mynd yn rhy ddibynnol. Ac os ydych chi'n rhy ddibynnol, rydach chi'n colli eich hunan barch.

- Pigo cydwybod y rhai sy'n gwneud bywoliaeth dda allan o'r iaith ond sy'n dewis siarad Saesneg yn y gwaith.

- Dangos i'r Cymry Cymraeg pa mor hurt ydy magu eu plant i siarad dim ond Saesneg. Mi fyddan nhw'n colli darn pwysig iawn o fywyd.

Am restr gyflawn o lyfrau'r Lolfa,
mynnwch gopi o'n Catalog newydd, rhad
– neu hwyliwch i mewn i'n gwefan

www.ylolfa.com

i chwilio ac archebu ar-lein.

TALYBONT CEREDIGION CYMRU SY24 5AP
e-bost ylolfa@ylolfa.com
gwefan www.ylolfa.com
ffôn (01970) 832 304
ffacs 832 782

Words Talk-Numbers Count
Geiriau'n Galw-Rhifau'n Cyfri

Noddir gan
Lywodraeth
Cynulliad Cymru

CYNGOR LLYFRAU CYMRU